Carla Nieto

LIBSA

C/ San Rafael, 4
28108 Alcobendas (Madrid)
Tel.: 91 657 25 80
Fax: 91 657 25 83
e-mail:libsa@libsa.es
www.libsa.es

Colaboración en textos: Carla Nieto
Edición: equipo editorial Libsa
Diseño de cubierta: equipo de diseño Libsa
Maquetación: equipo de maquetación Libsa
Imágenes: Shutterstock Images, 123 RF, Thinkstock

ISBN: 978-84-662-3115-2


DL: M 20216-2015

# Contenido

# Presentación

Durante los primeros meses de vida todo bebé necesita cuidados constantes y específicos para asegurarle así unas adecuadas pautas de sueño, nutrición e higiene. De que estas necesidades estén bien cubiertas depende su bienestar. Y son los padres los responsables de ofrecer al niño todo lo que necesita e ir adecuando estos cuidados a cada etapa de su crecimiento.

**La fragilidad** característica **del recién nacido produce en** la mayoría de **los padres muchos temores e inseguridades**: la forma en la que deben sujetarlo, la manera de darle el pecho o el biberón, en qué postura ha de dormir, cómo interpretar su llanto... **Se trata de dudas y recelos normales**, especialmente en el caso de los primerizos, de ahí la necesidad de tener claras cuáles son las características del niño en estos momentos, qué necesita y cómo ofrecerle los cuidados adecuados. Para resolver estas y otras dudas, en el bloque «De 0 a 2 meses» de este libro se explica cómo familiarizarse con las peculiaridades del bebé y cómo acostumbrarse a sus pautas de sueño y alimentación. Y se ofrecen de forma práctica y sencilla los consejos básicos que se deben seguir para llevar a cabo de manera adecuada el amplio repertorio de cuidados diarios que exige un recién nacido.

## CUIDADOS ADAPTADOS A LA EDAD

A partir de los 3 meses el niño ya no solo duerme y come, sino que cada vez se muestra más activo debido a que sus sentidos se encuentran en pleno desarrollo. Las horas que pasa despierto hace notar su presencia y ya no basta con satisfacer las tareas de «limpieza y avituallamiento», sino que es necesario entretenerle y también estimularle. Y en este punto es importante recordar que **los cuidados de un bebé durante los primeros 24 meses de vida son la mayoría de las veces indisociables del nivel de desarrollo que va alcanzando en sus distintas facetas y habilidades** (cognitivas, motoras, lingüísticas...), de ahí que a lo largo de estas páginas se entremezclen consejos prácticos relacionados con la higiene, la alimentación o el sueño con ideas para potenciar su desarrollo: los juguetes más adecuados para que entrene sus sentidos, las actividades que se deben hacer con él para sacar partido a sus habilidades, las rutinas relacionadas con su nivel cognitivo, el ejercicio que debe hacer en cada etapa de su evolución física... Es a través de esta correcta conjunción de los cuidados que aseguran la salud y el bienestar del niño, y las pautas y actitudes que favorecen el desarrollo de sus capacidades como se asegura que el niño crezca adecuadamente, que esté sano y que se muestre contento y feliz.

## GRANDES HITOS

El nivel de logros que alcanza el niño antes de los 3 años es único; en ningún otro momento de su vida va a aprender a hacer tantas cosas en tan poco tiempo: en pocas semanas, pasa de adoptar una única postura a darse la vuelta y dominar el manejo de su cabeza (algo nada fácil); de estar buena parte del día acostado a sentarse primero, gatear después, ponerse de pie y, finalmente, caminar; de mirarse las manos y «sorprenderse» al descubrir sus dedos a moverlas con soltura, pasarse un objeto de una a otra y sujetar con

# Presentación

maestría la cuchara con la que come; de usar el balbuceo y el llanto como única expresión lingüística a ir aprendiendo y repitiendo fonemas, que le llevarán a emitir palabras más o menos inteligibles, pero llenas de sentido. Todos estos hitos están recogidos en este libro, explicando con todo detalle en el mes que se producen e indicando a los padres cómo actuar en cada momento.

Adaptarse a esta vorágine de cambios puede resultar agotador, pero se trata de una experiencia única que merece la pena vivir intensamente porque lo cierto es que estos meses tan especiales pasan tan rápido que todos los padres los añoran cuando el niño ya es mayor.

**CÓMO USAR ESTE LIBRO**

A través de estas páginas se analizan las características principales y los logros que alcanza el niño mes a mes para, en función de esto, ofrecer los consejos más adecuados en cada momento. Para ello, se han agrupado los primeros meses de la vida del bebé en ocho bloques: de 0 a 2 meses; de 3 a 5 meses; de 6 a 8 meses; de 9 a 11 meses; de 12 a 14 meses; de 15 a 17 meses; de 18 a 23 meses, y a partir de 24 meses.

Cada uno de ellos se inicia con un resumen de los logros o características más destacables del crecimiento del niño en ese momento para después analizar más a fondo el desarrollo físico y cognitivo que alcanza durante estos meses, los

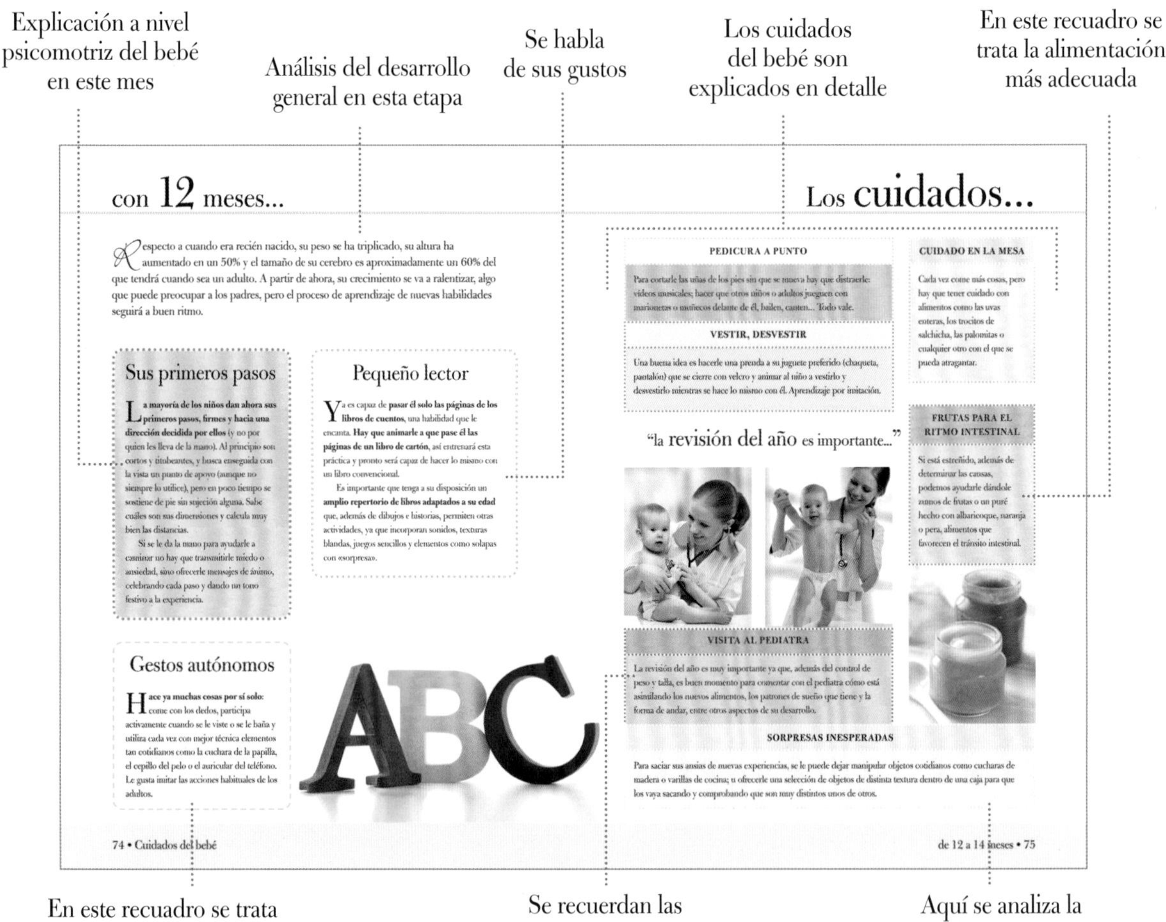

Explicación a nivel psicomotriz del bebé en este mes

Análisis del desarrollo general en esta etapa

Se habla de sus gustos

Los cuidados del bebé son explicados en detalle

En este recuadro se trata la alimentación más adecuada

con 12 meses...

Respecto a cuando era recién nacido, su peso se ha triplicado, su altura ha aumentado en un 50% y el tamaño de su cerebro es aproximadamente un 60% del que tendrá cuando sea un adulto. A partir de ahora, su crecimiento se va a ralentizar, algo que puede preocupar a los padres, pero el proceso de aprendizaje de nuevas habilidades seguirá a buen ritmo.

Sus primeros pasos

**La mayoría de los niños dan ahora sus primeros pasos, firmes y hacia una dirección decidida por ellos** (y no por quien les lleva de la mano). Al principio son cortos y titubeantes, y busca enseguida con la vista un punto de apoyo (aunque no siempre lo utilice), pero en poco tiempo se sostiene de pie sin sujeción alguna. Sabe cuáles son sus dimensiones y calcula muy bien las distancias.

Si se le da la mano para ayudarle a caminar no hay que transmitirle miedo o ansiedad, sino ofrecerle mensajes de ánimo, celebrando cada paso y dando un tono festivo a la experiencia.

Pequeño lector

Ya es capaz de **pasar él solo las páginas de los libros de cuentos**, una habilidad que le encanta. **Hay que animarle a que pase él las páginas de un libro de cartón**, así entrenará esta práctica y pronto será capaz de hacer lo mismo con un libro convencional.

Es importante que tenga a su disposición un **amplio repertorio de libros adaptados a su edad** que, además de dibujos e historias, permiten otras actividades, ya que incorporan sonidos, texturas blandas, juegos sencillos y elementos como solapas con «sorpresa».

Gestos autónomos

**Hace ya muchas cosas por sí solo:** come con los dedos, participa activamente cuando se le viste o se le baña y utiliza cada vez con mejor técnica elementos tan cotidianos como la cuchara de la papilla, el cepillo del pelo o el auricular del teléfono. Le gusta imitar las acciones habituales de los adultos.



74 • Cuidados del bebé

Los cuidados...

PEDICURA A PUNTO

Para cortarle las uñas de los pies sin que se mueva hay que distraerle: vídeos musicales; hacer que otros niños o adultos jueguen con marionetas o muñecos delante de él, bailen, canten... Todo vale.

VESTIR, DESVESTIR

Una buena idea es hacerle una prenda a su juguete preferido (chaqueta, pantalón) que se cierre con velcro y animar al niño a vestirlo y desvestirlo mientras se hace lo mismo con él. Aprendizaje por imitación.

CUIDADO EN LA MESA

Cada vez come más cosas, pero hay que tener cuidado con alimentos como las uvas enteras, los trocitos de salchicha, las palomitas o cualquier otro con el que se pueda atragantar.

"la revisión del año es importante..."

FRUTAS PARA EL RITMO INTESTINAL

Si está estreñido, además de determinar las causas, podemos ayudarle dándole zumos de frutas o un puré hecho con albaricoque, naranja o pera, alimentos que favorecen el tránsito intestinal.

VISITA AL PEDIATRA

La revisión del año es muy importante ya que, además del control de peso y talla, es buen momento para comentar con el pediatra cómo está asimilando los nuevos alimentos, los patrones de sueño que tiene y la forma de andar, entre otros aspectos de su desarrollo.

SORPRESAS INESPERADAS

Para saciar sus ansias de nuevas experiencias, se le puede dejar manipular objetos cotidianos como cucharas de madera o varillas de cocina; u ofrecerle una selección de objetos de distinta textura dentro de una caja para que los vaya sacando y comprobando que son muy distintos unos de otros.

de 12 a 14 meses • 75

En este recuadro se trata la psicomotricidad fina

Se recuerdan las visitas al pediatra

Aquí se analiza la habilidad con las manos

cambios que está experimentando su aspecto, las habilidades que va desarrollando y lo que poco a poco va siendo capaz de hacer gracias a su evolución.

Una vez ofrecida una visión general del crecimiento infantil en cada trimestre, pasamos a concretar mes a mes cuáles son los aspectos más destacables en cuanto a su desarrollo y crecimiento, ofreciendo a continuación ocho consejos prácticos y útiles en cada momento y que abarcan aspectos tan diversos como la forma de alimentarle, ideas para adecuar el hogar al bebé, las mejores estrategias para conseguir que adquiera unos patrones de sueño regulares, remedios efectivos para las patologías más frecuentes; juegos y actividades para estimular sus sentidos; trucos para optimizar su higiene...

Tras estos consejos, se proporcionan otras pautas más concretas centradas en los aspectos más destacables según la edad del niño (resumidas en las tablas que se encuentran al final del libro): la higiene, la alimentación y los patrones de sueño, tres cuestiones que generan dudas constantes durante la primera infancia; la estimulación y la actividad física, un aspecto muy importante sobre todo a partir del tercer mes y en el que los padres juegan un papel muy activo; y los momentos clave en el desarrollo infantil: la dentición, el destete, el gateo, los primeros pasos o el control de esfínteres, entre otros.

con 12 meses... salud ✓ comida sueño ✓ psicomotricidad

25 Leche de fórmula adaptada a su edad

Lo ideal es que entre la leche materna (o de sustitución) y la de vaca (recomendada a partir de los 18 meses) el bebé se alimente con las llamadas leches de crecimiento. Constituyen el paso intermedio entre una y otra para evitar que beba leche de vaca (con su proteína y lactosa) demasiado pronto. Su aparato digestivo lo agradecerá porque la leche de crecimiento es más tolerable para el niño.

LA DE VACA PUEDE ESPERAR

Las **leches de crecimiento están formuladas para cubrir las necesidades del organismo** del bebé en este momento. Se recomienda introducirlas en la dieta a partir del primer año, antes de que empiece a tomar la leche de vaca que consume el resto de la familia. Hay que recordar que primero el bebé debe tomar leche materna (o de sustitución, si se alimenta a biberón) para pasar luego a las de inicio y las de continuación.

BENEFICIOS A MEDIDA

Por ejemplo, la leche de vaca tiene una gran cantidad de proteínas cuya ingesta excesiva puede favorecer la aparición de alteraciones digestivas y otros problemas futuros como la obesidad, mientras que **el contenido en proteínas de la leche de crecimiento es menor**.

FÁCIL DE INCORPORAR

**El sabor y la consistencia de la leche de crecimiento le resulta muy agradable al niño**, así que se puede introducir sin más, cuando se acabe el último bote de leche de continuación. No hace falta mezclar ni hacer introducciones graduales.

76 • Cuidados del bebé

Guíale en su crecimiento...

26 Primeros zapatos

Aunque hay zapatos «de gateo», muy flexibles y de suela blanda, los expertos coinciden en que lo mejor es que el niño comience a usar zapatos cuando empiece realmente a andar. Hasta ese momento, la mejor opción son los calcetines y zapatillas blandas con suela antideslizante.

"con unos buenos zapatos practico mejor..."

CÓMO ACERTAR EN LA ELECCIÓN

Debe ser un **zapato ligero**, de **forma cuadrangular y lo más flexible posible**; con **suelas antideslizantes y refuerzos laterales y posteriores**, para evitar que el pie se ladee; de un material transpirable (tela o piel), que permita «respirar» al pie, evitando la excesiva sudoración y otras consecuencias como las infecciones por hongos.

CONFORT INTERIOR

Es preferible que **el forro interior no tenga costuras**, ya que su piel es muy sensible y puede producirle heridas o rozaduras. Los que se abrochan en la lengüeta o el empeine sujetan bien el pie y le dan una mayor movilidad. Y habrá que rechazar los zapatos ya usados que nos regalen otras personas porque el interior estará en mal estado y perjudicará el pie del bebé.

SU NÚMERO DE PIE

Ni muy grande ni apretado: el zapato debe ajustarse al pie del bebé. Para ello, **hay que probárselo con los calcetines puestos**, comprobando que desde las puntas de los dedos hasta el extremo delantero sobre 1 cm como mínimo. También hay que presionar en la punta por la parte superior para ver si los dedos la rozan (lo que significa que necesita una talla más).

de 12 a 14 meses • 77

# de 0 a 2 meses...

Su desarrollo:

- Se gira hacia el lugar de donde procede el ruido
- Tiene los puños cerrados
- Levanta la cabeza
- Lanza su primera «sonrisa»

## Sus manos

Los recién nacidos **mantienen los puños cerrados, con los pulgares hacia dentro**, durante sus primeras semanas de vida, sobre todo mientras duermen. Esto es debido al reflejo de presión, una de las reacciones innatas que permanecen de su etapa fetal.

## La cabeza

Aunque no tiene suficiente fuerza en el cuello para sujetar su cabeza, tumbado boca abajo **el niño es capaz de levantarla durante unos segundos**. Unas semanas después ya puede mantenerla recta durante aproximadamente unos 45 segundos.

Aunque puede parecer que durante las primeras semanas el bebé no hace otra cosa que dormir, lo cierto es que día a día va consiguiendo progresos en su desarrollo que le permiten ir adaptándose poco a poco a su nuevo entorno.

## Su sonrisa

En este periodo (entre las 6 y las 8 semanas) **se produce lo que se conoce como «sonrisa social»**, que es la manifestación real de su satisfacción al sentirse identificado con el rostro que le mira. Esto significa que el bebé se reconoce similar a esa persona (de ahí la denominación de «social»).

## Los sonidos

El recién nacido **reconoce a su madre por el olor y la voz**. También, cuando escucha un ruido, se gira en la dirección de la que este procede, un gesto que en ocasiones acompaña abriendo los brazos y arqueando ligeramente la espalda. Si está llorando (el llanto es ahora su forma de comunicarse) y escucha la voz materna, se tranquiliza casi al instante.

## Los ojos

La mayoría de los bebés nacen con los ojos azules o gris azulado. Esto es debido a que las células responsables del color de los ojos y los cabellos, los melanocitos, aún no están del todo maduras. A medida que van pasando los días y sobre todo con el contacto del iris con la luz solar (que es el principal agente implicado en la actividad de los melanocitos), el tono de los ojos se va definiendo y **es hacia los 6-8 meses cuando ya se establece cuál será el color definitivo**, algo que está determinado por la genética.

# de 0 a 2 meses...

De recién nacido a bebé perfectamente definido: así se podría resumir el desarrollo que experimentan los niños durante los dos primeros meses de vida, en los que no solo su aspecto físico se transforma, sino que día a día va mostrando nuevas habilidades y alcanzando distintas etapas fundamentales en su crecimiento. La fragilidad inicial va dando lugar a unos movimientos cada vez más logrados y unos rasgos de personalidad definidos.

El recién nacido (un término que se mantiene hasta que el niño cumple un mes) presenta unas características físicas peculiares que son consecuencia del paso de un medio, el líquido amniótico, a otro totalmente distinto: el mundo exterior. Poco a poco, con el transcurso de los días, su aspecto se va normalizando.

Estas señas de identidad con las que llega al mundo son **una cabeza grande, piernas y brazos pequeños y un abdomen abombado**. Su piel puede presentar manchas y unos puntitos blancos (llamados *millium*, que son pequeños quistes de grasa) alrededor de la nariz; algunos bebés tienen un tono amarillento, debido a la ictericia, y es normal que la piel de sus manos y pies se seque en exceso y se descame. Así mismo, la cara suele estar hinchada.

### LAS FONTANELAS

En el cráneo del recién nacido hay un pequeño hueco que se percibe al pasar los dedos por encima y que hace que algunas madres se lleven un buen susto. Es algo totalmente normal y se debe a unas zonas denominadas fontanelas. Se trata de espacios que quedan entre los huesos del cráneo que al nacer aún no están unidos del todo y son suaves y muy moldeables para facilitar así su paso a través del canal del parto. Estas fontanelas **empiezan a cerrarse alrededor de las seis semanas de vida**, aunque no todas lo hacen al mismo tiempo, sino que se van adaptando al proceso de crecimiento de los huesos de esta zona.

### SUS PRIMERAS MIRADAS

Los bebés suelen nacer con los ojos cerrados y algo hinchados (a algunos les cuesta un poco abrirlos durante los primeros días). En algunas ocasiones aparecen pequeñas hemorragias en la parte blanca de los ojos debido a la rotura de algún capilar durante el proceso del parto, pero es algo transitorio que desaparece espontáneamente.

Aunque al principio el bebé aún no ve con nitidez, **en las primeras semanas ya es capaz de fijar la mirada** y seguir con ella a las personas y objetos en movimiento y también mirar a los ojos de aquellas que lo sostienen en brazos. Al mes de vida puede ver con nitidez a una distancia de 20-40 cm de sus ojos.

### A VUELTAS CON EL PESO

Nada más nacer se comprueba el peso del bebé y se sigue su evolución en los controles de los días posteriores y después en cada visita al pediatra. Hay que tener en cuenta que **la mayoría de los bebés pierden peso en los primeros días de vida** (unos 300 g como media), algo totalmente normal y que se debe a distintas causas: pérdida de líquido a través de la orina, expulsión del meconio (su primera deposición), falta de práctica a la hora de mamar o de succionar la tetina del biberón...

## REFLEJOS INNATOS

Los bebés nacen con una serie de reflejos que van desapareciendo al cabo de los meses y cuya función es facilitar su adaptación al medio ambiente. Uno de los más característicos es **el reflejo de marcha automática**: si se pone al bebé en vertical y se le sostiene por las axilas, este adelanta un pie, como si quisiera empezar a andar. También tiene muy desarrollados los **reflejos de succión** (si se le introduce el dedo meñique entre los labios, comienza a chupar) y **el de búsqueda** (abre la boca para mamar si se le tocan los labios). Una de estas reacciones innatas más curiosas es el llamado **reflejo de Moro**, que consiste en lo siguiente: si se tiende al niño sobre una superficie y se golpea esta se observa cómo primero mueve los brazos y abre la boca al mismo tiempo e, inmediatamente después, flexiona los brazos y los cruza sobre el pecho al mismo tiempo que cierra la boca.

Otros reflejos son **el de mordida**, que se manifiesta cuando se estimula la cara externa de sus encías y el bebé reacciona abriendo y cerrando la boca rítmicamente; y **el reflejo de huida**, que se produce cuando, al pellizcarle la planta del pie, el bebé intenta retirar toda la pierna, flexionando sus articulaciones.

# con 0 meses...

Las primeras semanas suponen uno de los hitos más importantes en su vida ya que implican la transición de un ambiente en el que estaba aislado y protegido a un entorno muy distinto, lleno de ruidos, estímulos y emociones. El mejor estímulo para el recién nacido es oír la voz de su madre, por eso es importante hablarle mucho. Reconocer este sonido familiar (lo escuchaba con nitidez en el útero) le reconforta y le hace sentirse seguro.

## Ritmo vital de sus rutinas

Los bebés **nacen con sus propios ritmos que se manifiestan en su día a día**, a través de sus pautas de alimentación, sus rutinas de sueño y la forma en la que van reaccionando al descubrimiento de su cuerpo (pueden pasar horas simplemente mirando sus manos) y a los estímulos de su entorno. **Es muy importante respetar estos periodos** y no forzar su desarrollo en ningún sentido.

## Periodos de sueño

El patrón de sueño **es variable**: unos pueden dormir mucho sin necesidad de comer mientras que otros están somnolientos durante el día y se activan por la noche. Suelen dormir entre 16 y 20 horas, en periodos de unas cuatro horas seguidas de 1-2 horas de vigilia.

**El descanso es fundamental para que las neuronas del cerebro se vayan desarrollando** y conectando entre sí de manera apropiada formando el tejido que permitirá la correcta evolución del pequeño.

### LAVARLE EL PELO

Envolver al niño en una toalla y, sujetándolo por debajo de la axila, mojar el pelo en el lavabo o la bañerita. Aplicar un poco de champú, aclarar y secarlo inmediatamente con una toalla suave.

### DORMIR MUY SEGURO

Su colchón debe ser firme, perfectamente adaptado a la cuna o el cuco. Las superficies muy blandas, los colchones demasiado holgados y las colchas, edredones y otros elementos no son seguros.

### PIEL CON PIEL

El masaje, además de relajar al bebé, permite que la madre le transmita amor y seguridad a través del contacto piel con piel. Después del baño (ya sea por la mañana o por la noche), aplicarle la crema corporal es un excelente momento de conexión entre la madre o el padre y el bebé.

## "me relaciono con mi mamá..."

### TUMBARLO EN LA CUNA

Sacar al bebé de la cuna colocando las manos abiertas debajo de él; con una, sujetar su cabeza, el cuello y la parte superior de la espalda y, con la otra, el culito. Para acostarlo, hacerlo de la misma manera, es decir, sujetando siempre muy bien la cabeza y la parte inferior de la espalda.

### VIAJAR CON ÉL

Debe ir siempre colocado en una silla específica para bebés, en posición acostada y debidamente agarrado con cinturones. Ningún bebé debe viajar en brazos, ni siquiera en un trayecto corto.

### ENTRENARSE EN LA LACTANCIA

Es importante poner al niño al pecho desde el primer día, aunque la madre esté cansada tras el parto y el bebé esté dormido o no se agarre bien (como así sucede en su primer día de vida). Se trata de la mejor manera para empezar a practicar la técnica de dar el pecho y, gracias a este gesto, fortalecer el vínculo entre madre e hijo.

## 1 Lactancia materna: la mejor opción

Cada día surgen nuevas evidencias científicas de los beneficios que tiene la lactancia materna tanto para el niño como para la madre; una opción que también tiene muchas otras ventajas desde el punto de vista práctico e incluso económico.

### PAUTAR LAS TOMAS

Se pueden **pautar las tomas o dejar que sea el niño quien reclame la comida.** Cada vez son más los expertos que recomiendan que, al principio, se deje que el bebé coma a demanda, para más tarde, a medida que se va introduciendo la alimentación complementaria, ir estableciendo un horario de cuándo y durante cuánto tiempo ha de comer.

### LA POSTURA ADECUADA

Para que dar el pecho resulte más fácil, los expertos recomiendan **poner al bebé pegado a la madre, de forma que no tenga que girar la cabeza para alcanzar el pezón.** Sostener el pecho con el pulgar arriba y los dedos por debajo, muy por detrás de la areola, esperando a que el niño abra la boca de par en par para acercarlo al pecho. Debe tomar el pezón y gran parte de la areola con la boca, y mamar con esta abierta y la nariz y el mentón pegados al pecho, mientras que su labio inferior está vuelto hacia abajo.

## 2 Primeros cuidados

Todos los días hay que lavar el cordón umbilical hasta que se caiga, y bañarle, por la mañana o por la noche, según preferencias y disponibilidad. Es importante preparar lo necesario (toallas, jabón, esponja, hidratante...) antes de meterlo en la bañera para tener todo a mano.

### EL CAMBIO DE PAÑAL

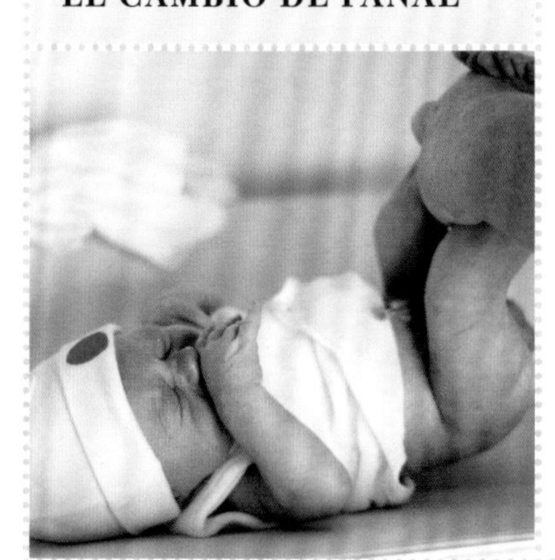

La piel del culito es muy sensible y se irrita con facilidad. Por eso es tan importante comprobar regularmente que el pañal no está sucio (sobre todo si el niño se muestra molesto) y, si es así, limpiarle y sustituirlo por otro rápidamente. Lavar la zona con agua, jabón neutro y una esponja; también sirven las toallitas húmedas para bebés.

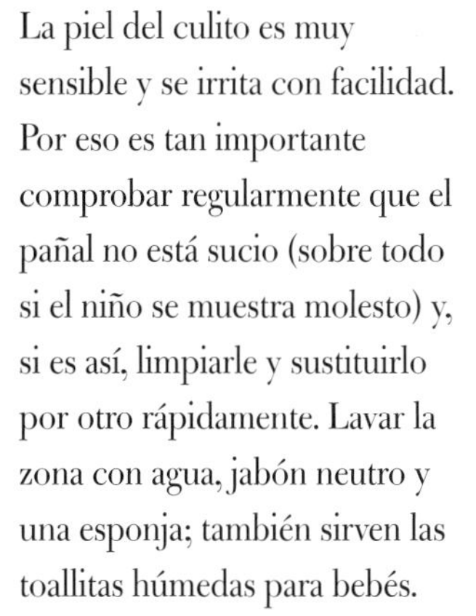

### LA COSTRA LÁCTEA

Algunos niños presentan una especie de **escamas amarillentas y adheridas al cuero cabelludo**: es la costra láctea. Suele mejorar y desaparecer de forma espontánea, pero para ayudar a que las escamas se desprendan más rápidamente se deben usar champús muy suaves o lociones limpiadoras sin jabón, cepillando después con un cepillo suave.

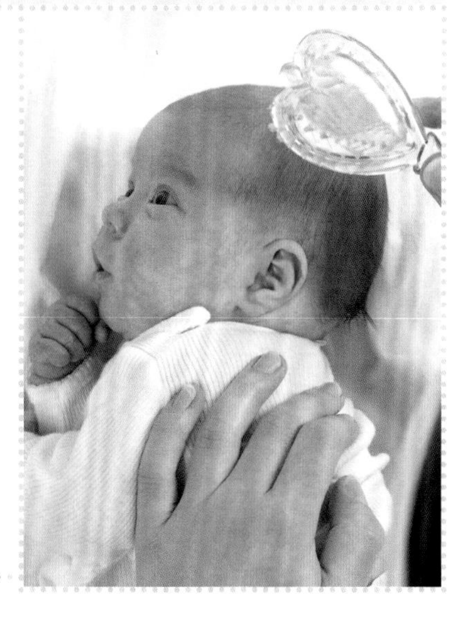

### KIT BÁSICO DIARIO

- Toallitas limpiadoras
- Esponja para bebés
- Tijeras redondas
- Toalla
- Cepillo

### EL CORDÓN

Los restos del cordón umbilical se desprenden por sí solos 5-6 días tras el parto, aunque a veces puede tardar más. Se cae de forma natural, y nunca hay que tirar de él. **Hasta que se desprenda, se debe mantener la zona lo más seca y limpia posible.**

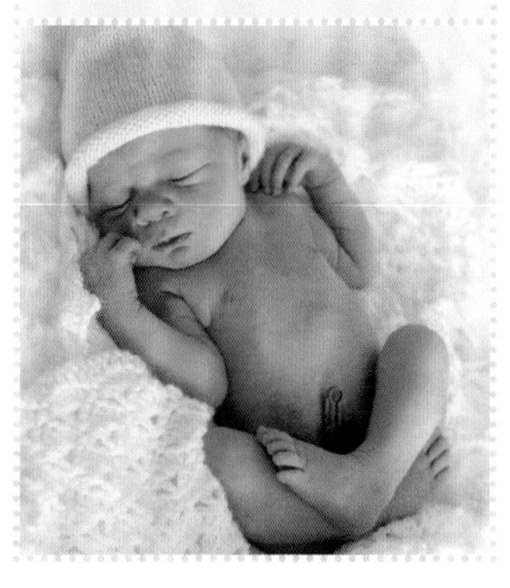

# con 1 mes...

Su cabeza es un poco grande y desproporcionada respecto al resto del cuerpo, pero su cuello se va fortaleciendo y, tumbado boca abajo, es capaz de levantar la cabeza durante algunos segundos. Sus ritmos de comida aún son irregulares y continúa demandándola cada dos o tres horas porque su estómago es muy pequeño y se llena rápidamente. Es normal que un recién nacido regurgite la leche.

## Sus sentidos

Aunque sus papilas gustativas todavía no están lo suficientemente maduras, ya muestra **preferencia por el dulce** (sabor característico de la leche materna). **Su olfato está muy desarrollado**, pudiendo distinguir sin equivocarse el olor del pezón materno del que ofrece la tetina del biberón.

## Pelo, piel y ojos en desarrollo

La piel, el pelo y los ojos **están en un proceso de desarrollo que se va a mantener durante los primeros años** (toda la vida, en el caso de los ojos). El pelo alcanza su madurez a los 9-10 años, y la piel, aunque se ha adaptado al nuevo medio, es un 30% más fina que la de un adulto y más sensible a las influencias externas, con tendencia a la sequedad, la irritación y la infección.

### TEMPERATURA DEL BAÑO

El agua del baño debe estar entre los 36 y los 37 °C. Se puede comprobar con un termómetro o introduciendo el codo. En caso de duda, es mejor que el agua esté templada que demasiado caliente.

### ESTÍMULOS PARA SU VISTA

Comienza a seguir con la mirada un objeto a 90°, así que es buen momento para colgar en su cuna móviles o muñecos para favorecer que fije la vista en ellos cuando quiera.

## "me encanta recibir mimos..."

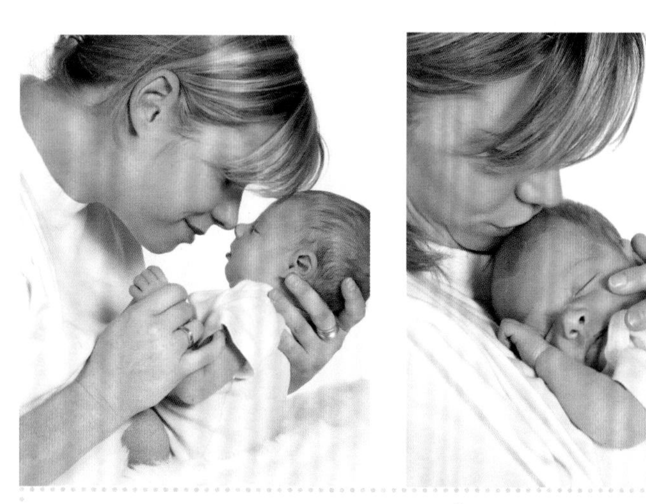

### CARICIAS CARIÑOSAS

Le encanta que le toquen y le hablen, dos gestos que le calman si está inquieto o cansado. Hay que fomentar el contacto cogiéndole en brazos y meciéndole o a través de un suave masaje. Es otra forma de relacionarse con sus padres.

### CÓMO VESTIRLE

Ligera y adecuada al clima y la época del año: así debe ser la ropa del bebé. Ha de estar elaborada a base de fibras naturales, como el algodón, que son las más indicadas para proteger su piel y favorecer la transpiración.

### EL CHUPETE: UN ALIADO

Investigaciones recientes han demostrado el efecto analgésico y tranquilizante que tiene el chupete, calmando el llanto y ayudando a que el bebé concilie el sueño y esté lo más relajado posible para descansar mucho.

### PIERNAS EN MOVIMIENTO

Ayudarle a «hacer la bicicleta» con sus piernas todos los días durante un par de minutos es un ejercicio que permite ir tonificando de forma paulatina los músculos del bebé de cara al gateo que iniciará en pocos meses.

### ALIMENTACIÓN: LA CANTIDAD ADECUADA

El niño come aproximadamente cada 3-4 horas (el intervalo es algo mayor si se alimenta con biberón). Un bebé que se queda debidamente saciado se muestra satisfecho e incluso se duerme antes de acabar la toma. Mojar de cuatro a seis pañales al día es una buena señal de que está tomando la cantidad de alimento adecuada.

## 3 El llanto

En este momento el bebé expresa sus necesidades a través del llanto, y con él comunica que está hambriento, tiene el pañal mojado, o simplemente se aburre. Cada necesidad tiene un tipo de llanto y los padres (aunque los primerizos no lo crean) sabrán distinguir uno de otro a los pocos días del nacimiento. No hay que asustarse por que llore, ya que es la manera que tiene el bebé de transmitir lo que le sucede.

### CAUSAS MÁS FRECUENTES

**El cansancio y el sueño** son las principales causas del llanto, sobre todo a última hora del día. También es habitual que llore debido a un **exceso de calor** (tanto el ambiental como el producido por llevar mucha ropa), porque **se le ha caído el chupete o cuando quiere estar acompañado.**

"lloro cuando me siento mal..."

### CÓMO INTERPRETARLO

- **Aburrimiento.** Quejido continuo.
- **Cansancio.** Se frota los ojos y orejas mientras llora en forma de quejido.
- **Cólico del lactante.** Encoge las piernas con un llanto mantenido.
- **Dolor.** Llanto angustioso e interrumpido.
- **Hambre.** Llanto intenso que cesa al acercarle el pecho o el biberón.
- **Pañal sucio y calor.** Llanto monótono y continuo.

## 4 Reforzar la barrera cutánea

En este momento su piel es muy delicada y vulnerable, de ahí la importancia de proporcionarle los cuidados adecuados que pasan por una correcta hidratación en el aseo diario, el uso de productos específicos para la higiene infantil y la utilización de los tejidos más apropiados en su ropa, toallas y sabanitas.

### UN ALIVIO EFICAZ

**Los aerosoles de agua termal** son una buena solución para aliviar la dermatitis del pañal y otros problemas cutáneos del bebé debido a su gran efecto calmante y desensibilizante. Se aplican muy fácilmente y tienen un efecto calmante y refrescante inmediato. Muchos productos específicos de cosmética infantil incluyen agua termal en su formulación por su eficacia comprobada desde hace años.

### LABIOS SIN GRIETAS

Sus labios se agrietan fácilmente en contacto con el frío y cuando está acatarrado. Para protegerlos, aplicar una **ligera capa de vaselina** sobre ellos y en las comisuras siempre que salga al exterior. La vaselina debe ser pura, no la que tiene perfume en su composición porque este es irritante.

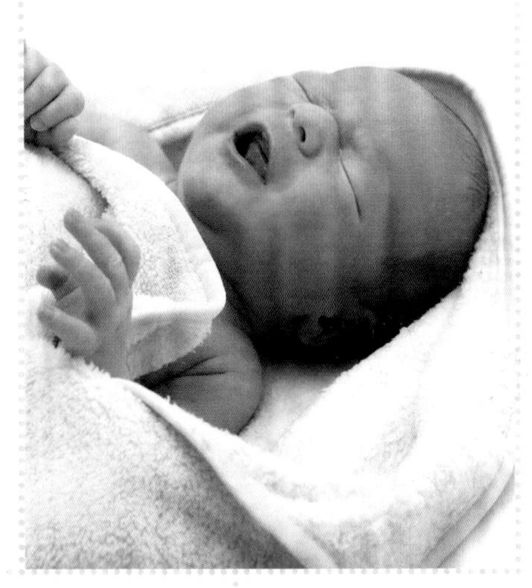

### DERMATITIS DEL PAÑAL

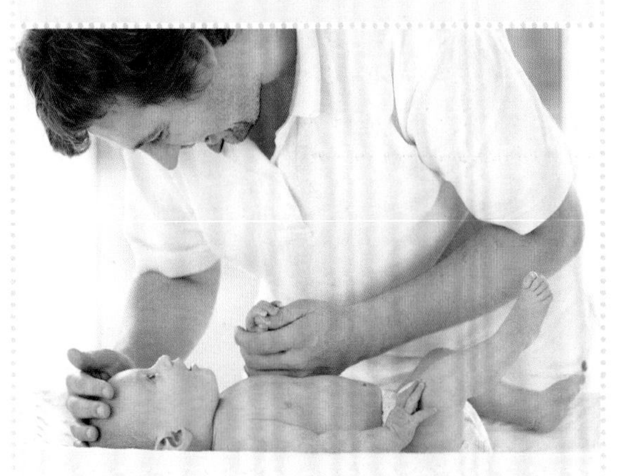

La fricción con el pañal y el contacto prolongado con las heces o la orina pueden dar lugar a la dermatitis del pañal, caracterizada por **la irritación, el enrojecimiento y la descamación de la piel** de la zona que resulta muy molesta para el niño. La mejor forma de prevenirla es cambiar frecuentemente el pañal y mantener la zona limpia y seca.

"cuando estoy limpio, me siento feliz..."

# con 2 meses...

En cuanto cumple los 2 meses, está mucho más activo y pasa más horas despierto. Patalea, agita brazos y piernas, hace muecas y está muy atento a su entorno (movimientos, colores, sonidos). Sus horarios, tanto de sueño como de comida, comienzan a ser más regulares. Empieza a ser más activo y quiere moverse e interactuar con los adultos, pero su psicomotricidad todavía no se ha desarrollado.

## Reconoce y sonríe

Responde con **una sonrisa consciente** (no social, como hace unas semanas) cuando reconoce un rostro familiar. Esta reacción genera reciprocidad: si la madre a su vez responde con una sonrisa y mantiene contacto visual con el niño, este reaccionará con otra sonrisa. **Se debe fomentar esta interacción** hablándole en un tono suave y haciendo muecas y gestos expresivos frente a él.

## Succión que calma

Sigue teniendo un **fuerte reflejo de succión**, que le lleva a chupar su puño o alguno de sus dedos cuando está inquieto, un gesto que le tranquiliza. Aún no ha desarrollado la suficiente coordinación para agarrar juguetes, pero sí reconoce y sigue con la mirada objetos a 25 cm de su cara.

# Los cuidados...

### REACCIÓN AL RUIDO

No solo es normal que el niño reaccione con un salto o sobresalto ante cualquier ruido o sonido intenso, sino que esta respuesta indica que su sistema auditivo funciona de manera correcta.

### OJOS Y NARIZ LIMPIOS

La mejor manera de limpiarle las orejas y la nariz es utilizar bastoncillos de algodón. En el caso del oído, estos solo deben usarse en la parte más externa, sin tocar el conducto auditivo para no dañarle.

### NUEVOS ENTORNOS

Cada vez se mueve más y de forma más coordinada. Las mantas de juego resultan muy útiles en este sentido.

### FALSAS ESPINILLAS

Muchos niños presentan unos pequeños granitos con un punto blanco en el centro en cara, cuello, pecho y espalda. Es la sudamina, una reacción cutánea provocada por un exceso de calor.

"un, dos, tres... estiramiento..."

### GIMNASIA PARA EL CUELLO

Es capaz de levantar la cabeza cuando está tumbado y mantenerla así durante varios segundos. Para ayudarle a reforzar este logro, hay que tumbarle boca abajo y mostrarle un juguete a la altura de sus ojos. Después subir el juguete para que levante la cabeza.

### MASCOTAS

Hay que mantener a las mascotas alejadas de los bebés y vigilarlos cuando estén en compañía de estas.

### TABACO, LEJOS DEL BEBÉ

Nunca hay que fumar cerca del bebé. Está demostrado que los niños que viven en ambientes en los que hay fumadores tienen más riesgo de desarrollar infecciones respiratorias y los síntomas de estas son más graves cuando las padecen. El tabaco también se relaciona con una mayor predisposición a sufrir alergia y otitis.

## 5 Patrones de sueño

En esta etapa de su vida ahora duerme durante periodos más cortos por el día y más prolongados en la noche ya que se está adaptando al ritmo de los adultos. Algunos niños incluso pueden pasar una noche entera sin despertarse, aunque la siguiente se despierten alguna vez.

### UN AMBIENTE PROPICIO

Para ayudarle a ajustar su ritmo de sueño hay que mantener un ambiente luminoso, con ruidos e interaccionar con él durante el día, colocándolo en un lugar distinto a su habitación, pero proporcionarle **un entorno lo más tranquilo, oscuro y silencioso por la noche**.

### PARA QUE DUERMA MEJOR

- Cada niño tiene **sus propios patrones de sueño**, que hay que respetar.
- Debe asociar la hora de dormir a una rutina: **darle la última toma siempre a la misma hora** y repetir los mismos gestos al acostarle le aporta seguridad.
- **Acostarlo cuando está somnoliento**, pero aún despierto, para que asocie su último recuerdo con la cuna.

### PREVENIR EL SMSL

El Síndrome de Muerte Súbita del Lactante produce el fallecimiento de niños menores de un año sin que exista otra causa aparente. Se sabe que está **muy relacionado con la postura que se adopta al dormir**, y las investigaciones han demostrado que **acostar a los niños boca arriba reduce notablemente el riesgo**. La lactancia materna y un ambiente libre de humos son otros factores que pueden prevenir este síndrome.

## 6 La hora del paseo

Aunque haga frío, la exposición al aire libre y a la luz solar es muy beneficiosa: favorece su termorregulación y su apetito; le proporciona un número importante de estímulos y lo activa y vigoriza. A partir de las 2-3 semanas se recomienda sacarlo al exterior todos los días y, si es posible, por la mañana y por la tarde.

### RELAJACIÓN

Si un bebé es muy nervioso y le cuesta conciliar el sueño, el paseo le servirá para relajarse y **aprender a descansar con el traqueteo del cochecito**. Se le puede arropar con la misma mantita que se usará en casa porque así la relacionará siempre con los momentos de descanso y se relajará antes.

### FRÍO Y CALOR

En verano **se evitará la exposición directa al sol**, poniéndolo a la sombra y protegiendo su piel con productos específicos para su edad, disfrutando de los beneficios que genera la luz solar en los bebés. En invierno el paseo coincidirá con las horas medias del día, cuando el sol es más intenso porque así el cuerpo generará vitamina D.

### COCHE O SILLA

En invierno lo más recomendable es el coche con cuco o capota, que lo protege más del frío y el viento. Cuando hace buen tiempo, la silla de paseo es la mejor opción pues, además de ser más manejable, permite al niño **una mayor interacción con el medio ambiente**. En ambos casos debe tratarse de vehículos debidamente homologados para evitar cualquier riesgo.

"me gusta salir de paseo todos los días..."

### PASEAR Y APRENDER AL MISMO TIEMPO

La hora del paseo es un momento muy especial porque el bebé **descubre el entorno en el que vive**:

- Los parques y jardines siempre son la mejor opción para pasear con un bebé.
- Hay que hablarle al niño mientras se pasea, llamando su atención sobre luces, personas u otros estímulos, para que se vaya familiarizando con ellos.
- Ya empieza a diferenciar entre los rostros familiares y los de los extraños, y el paseo supone una buena ocasión para fomentar la interacción con otras personas.

# de 3 a 5 meses...

Su desarrollo:

- Movimientos cada vez más voluntarios
- Empieza a soñar y a recordar
- Descubre sus manos y las utiliza activamente
- Distingue e identifica caras y sonidos
- Se comunica con su entorno

El importante nivel de desarrollo que alcanza su cerebro en estos momentos hace que el niño empiece a demostrar un buen número de habilidades, como la destreza manual o la capacidad de identificar caras y voces conocidas.

## Control corporal

Tiene reacciones cada vez más voluntarias y **al final de este trimestre** ya **es capaz de levantar perfectamente la cabeza** y los hombros cuando está acostado boca arriba y de **darse totalmente la vuelta**: de estar boca abajo pasa a ponerse de espaldas en cuestión de segundos.

## Las manos

A los tres meses **golpea objetos con los puños cerrados** y puede pasar varios minutos mirando sus dedos y siguiendo sus movimientos. **A los cuatro meses** se produce un hito importante: **puede agarrar con fuerza objetos y juguetes**, incluso con ambas manos.

## Cerebro en desarrollo

La parte de su cerebro que rige la coordinación ojo-mano y que le permite reconocer objetos **(el lóbulo parietal) se está desarrollando ahora rápidamente**; mientras que la zona responsable del oído, el lenguaje y el olfato (el lóbulo temporal) también presenta una mayor actividad. Por eso, cuando **escucha una voz o sonido, dirige su mirada hacia el lugar del que proviene** y, cada vez más, intentará responder emitiendo gorjeos y sonidos guturales. Además, comienza a tener sueños cuando duerme.

## Su lenguaje

Vocales sueltas, **dominio de consonantes como la «p» y la «m»**, gritos de distinta intensidad según lo que quiera transmitir (se aburre, tiene hambre)... el repertorio que tiene el niño a la hora de comunicarse es ya muy amplio y sirve para hacerse una idea de cómo es su personalidad.

## Su vista

Cada vez **ve mejor y con más nitidez de cerca**. Sigue con la cabeza y la mirada los objetos que se le ponen delante, pues ya puede mantener su cabeza prácticamente recta. **Muestra interés por todo lo que brilla o reflecta** (los espejos) **y los tonos vivos** (es buen momento para darle juguetes con mucho color). La vista y la mano se están coordinando, por lo que hay que tener cuidado con las cosas que están a su alcance, ya que intentará atraparlas.

# de 3 a 5 meses...

El niño ha perdido todo rastro de esa fragilidad que transmitía durante las primeras semanas. Sujetarle en brazos, bañarle o jugar con él resulta ahora más fácil, sobre todo porque cada vez va teniendo un mayor control sobre su cuerpo en general y su cabeza en particular. Se mueve mucho y de forma más coordinada, y está totalmente integrado en su entorno, pues reconoce a sus seres queridos.

Ya no pasa horas enteras tranquilo en su cuna. El desarrollo que está experimentando a todos los niveles hace que **día a día necesite una buena dosis de estímulos y vivir nuevas experiencias**. Uno de los logros más importantes que consigue en estas semanas es la forma en la que maneja la cabeza, sobre todo cuando está boca abajo. Los expertos señalan que es importante colocar con frecuencia al niño en esta posición a partir de los 3 meses para que refuerce la espalda (que va ser clave cuando empiece a sentarse, dentro de poco tiempo) y también para que ejercite brazos y piernas.

Sus manos son las protagonistas durante toda esta etapa: juega con ellas, agarra cosas y se las lleva continuamente a la boca, por lo que es importante asegurarse de que siempre estén limpias y también cuidar la higiene de juguetes y demás objetos que suele chupar. Por otro lado, al cuarto mes dobla aproximadamente el peso que tuvo al nacer y es en este momento cuando los pediatras aconsejan empezar a introducir la alimentación complementaria. Sus ciclos de comida, sueño y vigilia son cada vez más regulares, lo que hace posible establecer una rutina más o menos fija en su día a día.

### CARÁCTER Y PERSONALIDAD

En esta etapa reconoce quiénes son las personas que le cuidan, le alimentan y le hacen sentirse seguro y amado. Por eso, los estímulos que reciba de todo ese entorno van a ser muy importantes para su desarrollo e influirán en su personalidad. **Sonríe fácilmente y con frecuencia, aunque no lo hace de la misma forma con todo el mundo**: la risa suele acompañarse de gritos y gorjeos cuando la persona que tiene enfrente es su madre o su padre. Su capacidad de expresión ofrece ahora muchos matices, que incluyen desde los sonidos guturales a los monosílabos, de los quejidos mimosos a los gritos de reclamo, del llanto constante y de baja intensidad en los momentos en que tiene sueño al berrinche de alto nivel cuando reclama la atención y se siente ignorado. Estas reacciones son muy indicativas, ya que reflejan algunos rasgos de su carácter y su forma de reaccionar. Además de sus manifestaciones verbales, son muy significativas las expresiones de su cara, cada vez más variadas y que permiten interpretar fácilmente cómo se siente el niño y qué es lo que más le gusta o desagrada.

La música también juega un papel importante, ya que es capaz de percibir e identificar distintos sonidos. Es muy evidente el efecto relajante que tiene sobre él la música suave y melodiosa, especialmente las nanas y también las obras de compositores clásicos como Mozart. Escuchar una misma pieza o canción a diario o con mucha frecuencia supone un excelente estímulo en este momento.

### JUEGOS Y JUGUETES

Los juguetes cobran ahora un protagonismo especial ya que son instrumentos que responden a las necesidades que tiene el niño: seguir con la mirada, atrapar, mover, agitar, chupar... **Es importante elegir aquellos que sean más adecuados** a esta edad y, sobre todo, que estén en perfecto estado y que resulten muy seguros para el niño. Los sonajeros son una de las opciones más adecuadas ya que aúnan sonido y color y, además, le permiten entrenarse en esa habilidad recién descubierta que supone atrapar objetos con la mano. Pero lo que más le entretiene es sentirse acompañado y que le hablen, le hagan reír, le imiten y le enseñen a hacer cosas nuevas. Y si su interlocutor es su madre o su padre, mejor.

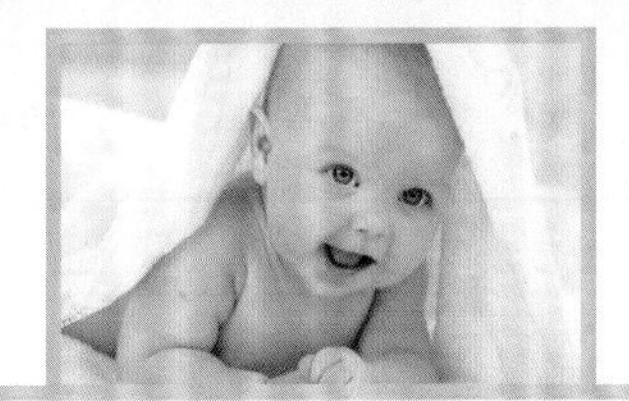

**FABRICANDO RECUERDOS**

Alrededor del cuarto mes el niño reconoce perfectamente las caras y voces familiares, y **es a partir del quinto mes cuando se empieza a forjar su memoria de forma más sólida.** Según un estudio realizado en la Universidad de Brigham Young (Estados Unidos), los estímulos y experiencias positivas favorecen la formación de recuerdos. Los autores de esta investigación analizaron la reacción de un grupo de bebés de 5 meses cuando, a través de una pantalla de ordenador, una persona les hablaba en tono neutral, alegre o enfadado, y se les enseñaba inmediatamente después una forma geométrica.

Los autores del estudio comprobaron que los niños recordaban mejor las figuras asociadas con un tono positivo que aquellas que estaban vinculadas con uno negativo. La razón sería que los refuerzos positivos intensifican el sistema de atención y activación de los bebés. Por eso, los estímulos y las experiencias que les resultan gratificantes quedan fijadas de forma más intensa en su memoria.

# con 3 meses...

Tiene un mayor dominio de su cuerpo. Tumbado de espaldas, levanta la cabeza y la mantiene así durante varios minutos si algo llama su atención. Y también se maneja muy bien boca abajo. Cada vez se comunica más con su entorno a través de su peculiar lenguaje (sonidos monosilábicos, «ajos» y llantos y pucheros), y reclama con frecuencia la compañía de los que le rodean.

## Un ser sociable

No le gusta estar solo y **reclama constantemente la presencia de otra persona.** Muchas veces llora por aburrimiento, parando inmediatamente en cuanto su madre u otra persona conocida entra por la puerta, o simplemente al oír su voz.

## Primeras conversaciones

Es capaz de «hablar» con fluidez empleando su particular idioma a base de «ajos» y gorjeos. Y se ríe abiertamente, haciendo unos característicos ruiditos, que son una **manifestación de alegría y diversión** cuando se le habla o se le acaricia.

## Arriba y abajo

Puede mantenerse boca abajo sin riesgo, ya que **es capaz de sostenerse sobre los antebrazos.** Es recomendable dejarle en esta posición prácticamente durante todo el tiempo que esté despierto, ya que de esta forma refuerza la espalda, base para sentarse y ponerse en pie dentro de unas semanas. Cuando está tumbado boca arriba, juega con sus manos, las mira y se las lleva a la boca.

# Los cuidados...

### NIÑOS, NIÑAS Y CAMBIO DE PAÑAL

Durante los cambios de pañal, a las niñas hay que limpiarlas de delante hacia atrás y a los niños, con movimientos amplios, pasando la esponja húmeda o la toallita por toda la zona.

### MANICURA CUIDADOSA

Sus uñas crecen muy rápidamente, y hay que cortarlas para evitar que se arañe, usando una tijera especial, con bordes romos, y limándolas. Una buena idea es hacerlo cuando el niño está dormido.

### REGURGITACIONES

Muchos niños expulsan la toma, arrojándola con fuerza. Mientras siga ganando peso, no supone ningún problema para su desarrollo y su evolución. Las regurgitaciones suelen cesar aproximadamente a los 6 meses, cuando el niño pasa más tiempo en la posición erguida.

"me interesa todo lo que me rodea..."

### AMPLIANDO HORIZONTES

Dejarlo boca abajo (siempre con vigilancia) sobre una manta con juguetes a su alcance que cambiaremos a menudo le permite activar manos y brazos y le estimula a comenzar a reptar. La búsqueda y experimentación continua le incitan a moverse.

### OJOS LIMPIOS

Limpiarlos con una gasa estéril mojada en agua tibia o suero fisiológico, una gasa para cada ojo, para evitar contagios.

### CUENTOS E HISTORIAS

Aunque aún no es capaz de comprender el significado, es buen momento para empezar a leerle cuentos. Es importante hacerlo cuidando mucho la entonación, variando el ritmo e incluso interpretando varias voces porque de esta forma se le está ayudando a desarrollar su lenguaje y sus capacidades auditivas futuras.

## 7 Las vacunas

Las vacunas protegen a los niños de muchas enfermedades que, además de peligrosas, pueden tener complicaciones e incluso dejar secuelas. Es el pediatra quien facilita el calendario de vacunas a seguir que viene impuesto por las autoridades sanitarias de cada país o región, según sea el caso. Conviene seguirlo para evitar contagios de enfermedades que perjudican la salud de los niños.

### LAS MÁS IMPORTANTES

**Cada país tiene un calendario de vacunas** recomendado, pero básicamente, las vacunas que la mayoría incluye son las siguientes: rotavirus, hepatitis A, hepatitis B, gripe, difteria, tétanos, polio, tos ferina, *Haemophilus influenzae* tipo b, neumococo, sarampión, rubeola, meningococo C, rubeola, parotiditis (paperas) y virus del papiloma humano.

### REACCIÓN POSPINCHAZO

Es habitual que después de vacunarle **la zona del pinchazo enrojezca o se inflame** y que el niño se queje y lloriquee. Es una reacción sin importancia que se puede aliviar **aplicando sobre la zona hielo envuelto en un pañuelo o compresas frías**. Si el niño sigue molesto, la inflamación no remite o tiene fiebre, hay que acudir al médico.

### PROTEGERLE FRENTE AL ROTAVIRUS

El rotavirus es la **causa más frecuente de gastroenteritis aguda en niños**, una infección del intestino que se caracteriza por vómitos y diarrea, con el riesgo de deshidratación que esto conlleva. Se estima que el 95% de los niños se van a infectar por este tipo de virus como mínimo una vez, ya que **afecta con más frecuencia a bebés entre los 6 meses y los 2 años**, de ahí la importancia de protegerle administrándole la vacuna.

# Guíale en su crecimiento...

## 8 Diversión a medida

El bebé duerme ahora una media de 12 horas al día, y cuando está despierto ya no se conforma con quedarse tranquilo en la cuna mirando el techo: es el momento de ofrecerle juguetes adaptados a su edad y proporcionarle cada vez más estímulos para que vaya aprendiendo y desarrollando su personalidad.

"miro los objetos de colores con mucha atención..."

### POSICIÓN CENTRAL

Las mantitas o gimnasios con actividades adaptadas a los bebés de esta edad son muy recomendables: le ofrecen un campo de actuación más amplio y **le permiten estar en contacto con muchos estímulos**. Una buena idea es colocarla en el centro de la habitación y poner al bebé encima de ella; así tendrá acceso a todo lo que ocurra a su alrededor.

### SEGUIR CON LA MIRADA

Para **estimular su agilidad visual**, lo mejor es mover un juguete de colores intenso a medio metro de distancia de su cara. Lo seguirá con los ojos e irá moviendo la cabeza de un lado al otro. Otra opción es colgar un móvil en su cuna con muñecos de colores intensos: disfrutará durante un buen rato observándolos y fijándose en todos los detalles. También se puede colgar algún adorno en las barras de la cuna.

### SONAJERO, UNA BUENA IDEA

El juguete más recomendable en este momento es el sonajero ya que le permite, por un lado, poner en práctica la **coordinación mano-ojo**; y, por otro, al agarrarlo y moverlo está reforzando el **control de sus músculos**. Es un pequeño objeto que resulta muy útil.

# con 4 meses...

Sus llantos, gritos y demás manifestaciones ya son muy indicativas de su personalidad, así que resulta mucho más fácil para los padres saber qué le gusta, qué le molesta y qué necesita en cada momento. Cada vez tiene más destreza y puede, por ejemplo, sujetar el sonajero con ambas manos y moverlo.

## Un nuevo lenguaje

No se calla ni un minuto: se ríe con fuerza, grita y hace aspavientos de todo tipo para llamar la atención; se arrulla a sí mismo antes de dormir; expresa su alborozo cuando se le alimenta; reclama con gritos cortos e intensos la presencia de sus padres o hermanos... En este momento es frecuente que tenga «largas conversaciones» consigo mismo, pues **le encanta oír su propia voz.**

## Dominio casi total de cabeza

Es capaz de levantar la cabeza hasta 90 grados cuando se le tumba boca abajo y, si se le sienta, la mantiene prácticamente erguida, y puede girarla rápidamente cuando oye voces o algún ruido. **Ya puede rodar y dar vueltas sobre sí mismo, por lo que hay que vigilarlo en todo momento.**

## HIGIENE Y SEGURIDAD

Se lleva con facilidad objetos a la boca, así que todos sus juguetes deben estar limpios. Y es muy importante mantener alejados de él objetos y piezas pequeñas, ya que puede atragantarse e incluso asfixiarse con ellas. La vigilancia por parte de los adultos ha de ser máxima.

## CUNA LIBRE DE RIESGOS

Como ahora se mueve mucho es muy importante quitar de la cuna mantas gruesas, edredones y juguetes (sobre todo los peluches) cuando el niño esté en ella para evitar que se lesione o asfixie.

## EL HIPO

Es frecuente que aparezca hipo, sobre todo en los niños alimentados con biberón. Para ayudarle a que desaparezca se le pueden dar unas cucharaditas de manzanilla o tila.

## "ese soy yo, ¡qué divertido!..."

## CARA A CARA

Una actividad muy recomendada es ponerlo frente a un espejo, algo que le divierte mucho, pues ya tiene la visión cercana bien establecida y detecta muy bien la imagen que el espejo le devuelve.

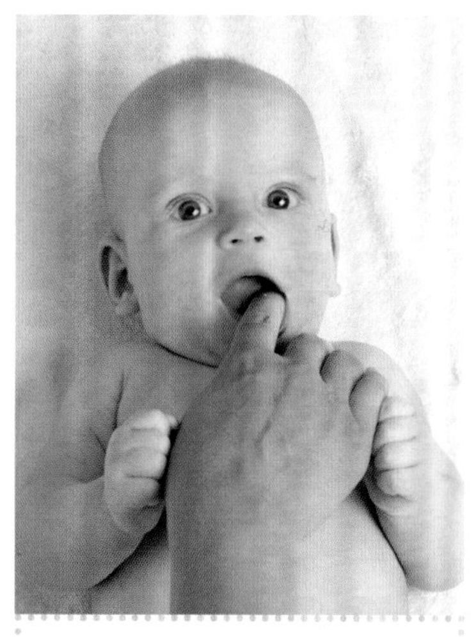

## PREPARAR LA DENTICIÓN

El primer diente sale alrededor del sexto mes, pero se puede ir preparando la dentición haciendo un masaje mediante un suave «barrido» por ambas encías utilizando un dedo. Esto le aliviará bastante, aunque a veces no es suficiente.

## TIEMPO DE SILENCIO

Aunque le encanta sentirse acompañado, no es buena idea poner la televisión o la radio todo el día para que oiga voces, ya que esto puede sobreestimularle. Los mejores sonidos para él proceden de las voces conocidas. También es aconsejable que, de vez en cuando, esté en completo silencio, para que pueda oírse a sí mismo.

## 9 Nuevos alimentos

A los cuatro meses la alimentación se sigue basando en la leche, materna o de fórmula, pero es el momento de empezar a incorporar nuevos nutrientes en su dieta habitual para contribuir a su correcto desarrollo. Habrá que hacerlo de manera progresiva para ir comprobando si padece alguna intolerancia o alergia alimentaria y poder reaccionar a tiempo.

### POCO A POCO

Hay que introducir los cereales de forma progresiva para que el niño **se acostumbre poco a poco a los nuevos sabores y texturas**. Si se alimenta con lactancia materna, se puede preparar la mezcla con leche extraída con un sacaleches o con otra leche de iniciación que indique el pediatra. Si toma biberón, el cereal se añade a la leche habitual.

### CAMBIO DE MENÚ

Alrededor del cuarto mes (si toma el pecho, puede ser el sexto) el pediatra suele aconsejar añadir al biberón unos «cacitos» de cereales, con lo que **se inicia la alimentación complementaria**, con alimentos distintos a la leche, que se va adaptando a las necesidades del bebé en crecimiento.

"me voy a poner muy fuerte..."

### PRIMEROS CEREALES

Los primeros cereales que se incluyen en el menú infantil son los que **no llevan gluten; maíz y arroz**, sobre todo. Es muy importante que estos primeros cereales carezcan de gluten (una proteína vegetal) pues los que lo contienen (trigo, avena, cebada y centeno) poseen un componente, la gliadina, que puede producir celiaquía si se introduce precozmente, ya que el sistema digestivo del niño aún no está del todo maduro.

## 10 Su pequeño mundo

Las posibilidades que le abre el mayor dominio en el manejo de sus manos le permiten manipular los juguetes y realizar nuevos movimientos. Y el hecho de poder percibir objetos a distancias variables le proporciona muchos estímulos. Es el momento de los objetos llenos de color, movimiento y sonido.

### BENEFICIOS DE LA AVENA EN LA PIEL

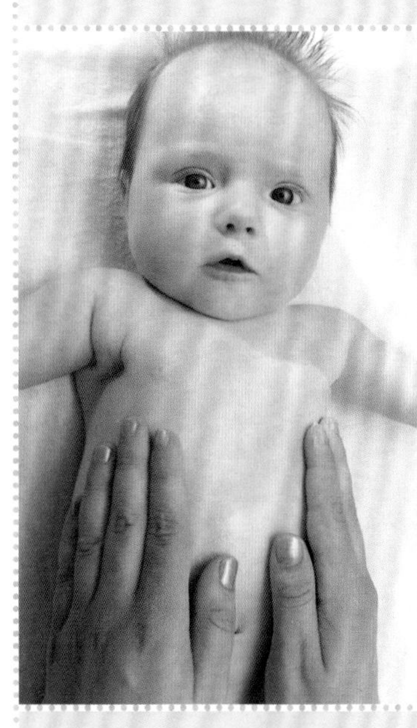

Su piel sigue siendo sensible y los productos que contienen avena (geles de baño, cremas hidratantes) son muy beneficiosos ya que esta sustancia tiene **propiedades emolientes, suavizantes e hidratantes** que refuerzan su barrera cutánea evitando que se irrite y reseque. La avena resulta especialmente útil en la dermatitis atópica y la del pañal y es idónea para cuidar la piel del bebé.

### TECLAS Y SONIDOS

**Uno de los juguetes más recomendados** en este momento son los teclados musicales: le enseñan a discriminar los sonidos mientras potencian su inteligencia musical y, además, le divierten. Descubrirlos es una aventura fascinante.

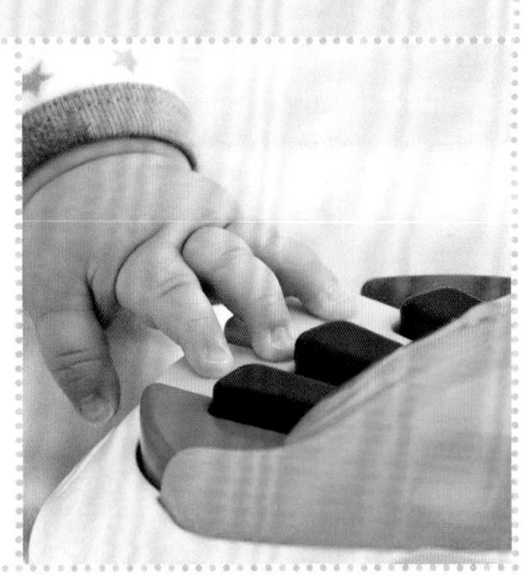

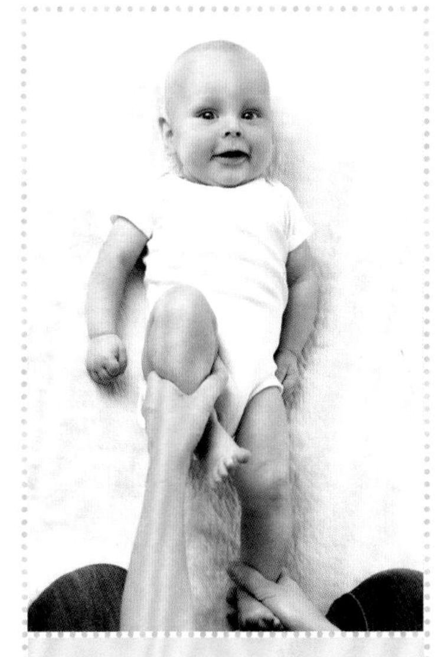

### MASAJES QUE CALMAN

La mayor actividad y cantidad de estímulos a la que está sometido puede hacer que el niño esté muy activo o nervioso. Para calmarle, nada mejor que un masaje, deslizando suavemente las manos (previamente calentadas) por su piel, **sin ejercer presión alguna**, realizando movimientos circulares. Los masajes en brazos y piernas le gustan mucho y le calman.

# con 5 meses...

Su autonomía va en aumento, de tal forma que en cuanto un objeto llama su atención, alarga la mano hacia él y se pone en movimiento para intentar alcanzarlo. Sonríe y muestra su alegría cuando está en contacto con personas que conoce, pero también empieza a expresar temor ante los extraños. Maneja los juguetes con mucha soltura y se enfada si se los quitan.

## Alcanzar su objetivo

Su **interés por descubrir cosas nuevas** y su **mayor coordinación** le permiten moverse más y mejor. Manteniendo las extremidades extendidas hacia delante, es capaz de alzar la cabeza y arquear la espalda (un gesto previo al inicio del gateo). Alarga las manos para hacerse con todo aquello que le interesa, alcanzando con precisión los objetos, atrapándolos con fuerza y manipulándolos cada vez con una mayor habilidad. Cuando agarra un objeto, lo hace con tanta fuerza que parece que no lo va a soltar.

## El descubrimiento de los pies

Descubre sus propios pies como parte intrínseca de su cuerpo y **le encanta tocarlos, jugar con los dedos e incluso llevárselos a la boca para chuparlos**, ya que en estos momentos es muy flexible. Disfruta mucho cuando está descalzo y reacciona con carcajadas si se le hacen cosquillas en la planta. Es capaz de levantar y bajar las piernas con una gran agilidad y fuerza.

## Casi sentado

Al final de este mes la mayoría de los bebés **son capaces de permanecer sentados con ayuda** y también de pasar un juguete de una mano a otra, cada vez más rápido y con mayor destreza. La posición de sentado le ofrece una perspectiva nueva de todo lo que le rodea, por lo que amplía su conocimiento del entorno.

# Los cuidados...

### NECESITA AGUA

Para saber si está debidamente hidratado hay que fijarse en sus pañales: si están casi siempre secos o si sus caquitas son de textura muy compacta, puede indicar que no bebe lo suficiente.

### PESO Y ALTURA

Cada niño engorda y crece a su ritmo. Los percentiles son unos esquemas de medida que permiten comparar su crecimiento en relación a un rango estándar, pero su información es meramente orientativa y es el pediatra quien los interpretará.

### POR IMITACIÓN

Al hablarle hay que ponerse frente a él, pues se fija mucho en la boca de su interlocutor e imita sus movimientos y sonidos. Las letras «b» y «m» le resultan muy fáciles de reproducir.

### UNA NUEVA POSTURA

Es recomendable ponerlo con frecuencia en posición sentada apoyado en almohadones. De esta forma, fortalecerá su espalda y tendrá una perspectiva nueva.

## "cómo me gusta chuparlo todo..."

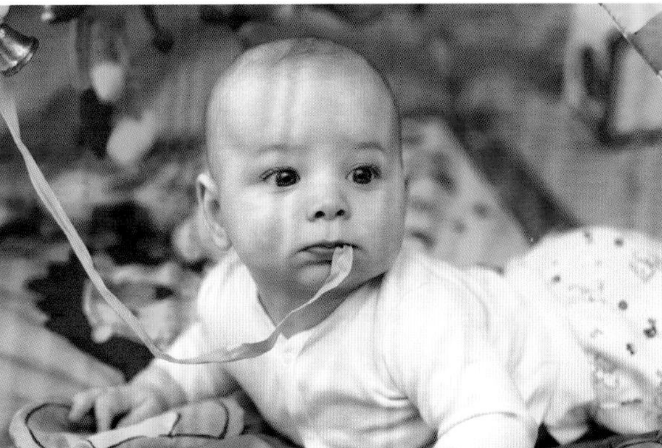

### CUIDADO CON SU BOCA

Todo se lo lleva a la boca, así que hay que comprobar que los juguetes no están rotos y que no se pueden desmontar en piezas pequeñas. También hay que tener cuidado con las pilas de las calculadoras, los botones de colores o los ojos de peluches. Es aconsejable vigilar si tiene algo en las manos.

### CALCETINES PARA JUGAR

Los calcetines de estampados grandes y colores chillones son un buen estímulo en este momento en el que los pies centran su atención. Otra opción son los calcetines-sonajero que suenan al mover el pie.

### PIES A TONO

Los masajes potencian el buen tono de los pies: rozar suavemente con las palmas de las manos desde el talón hasta los dedos; después, estirar con cuidado toda la planta y, al llegar a los dedos, masajear uno a uno. El bebé disfruta mucho con estos masajes tan placenteros.

## 11 La alimentación con biberón

Muchos niños alimentados con leche materna empiezan a alternar el pecho con el biberón o, coincidiendo con la reincorporación de la madre al trabajo, pasan a tomar exclusivamente leche de fórmula. Es importante planificar de antemano la transición entre un tipo de alimentación y otra, y no dejarlo a la improvisación.

### LA MEJOR TETINA

Hay tetinas de **distintas formas** (cónica, anatómica) **y materiales** (caucho, silicona, látex). También hay diseños que **regulan el flujo** (con agujeros, o un corte, o ranura) y que se adaptan a la edad del niño. Si el bebé se niega a succionar, se debe probar a cambiar el modelo de tetina hasta encontrar aquella con la que se encuentre a gusto.

### COMPLETAS Y NUTRITIVAS

Las **leches de fórmula** aseguran al bebé todos los nutrientes que necesita para **su correcto desarrollo y crecimiento**; incluso hay formulaciones específicas para los niños con necesidades especiales, como es el caso de los prematuros.

"la leche de mi mamá es la más completa..."

### LACTANCIA MIXTA

**La succión de la tetina es diferente a la del pezón.** Hay niños que pasan de una a otra sin problema, pero a otros les cuesta más. Para que se vaya adaptando poco a poco, se puede empezar dándole algunas tomas con biberones de leche materna extraída con un sacaleches hasta que se acostumbre a la nueva técnica. Después, alternar el pecho con biberones de leche de fórmula, para al final usar solo el biberón. **Cada niño tiene su propio ritmo** para asumir los cambios.

# Guíale en su crecimiento...

## 12 Gimnasia y diversión

Al niño le divierte mucho tocar distintas superficies con los pies. Un buen ejercicio que también sirve para tonificar sus piernas es sujetarlo por debajo de las axilas y depositarlo (siempre bien agarrado) encima de una mesa hasta que la planta de sus pies contacte con la superficie: le gustará experimentar y el cambio de textura y de temperatura.

### KIT DE MASAJE

- Las manos de mamá (previamente calentadas).
- Aceite de almendras dulces.
- Un ambiente tranquilo.
- Una habitación con una temperatura adecuada.
- Siempre estableciendo contacto visual.

### EFECTO SONORO

Todos los juguetes que emiten sonidos le **ayudan a descubrir la relación acción-efecto**: él lo toca (al principio accidentalmente y luego de forma consciente) y el objeto suena, algo que despierta su curiosidad, por lo que puede pasar horas jugando solo con uno de estos juguetes, aferrándose a él y enfadándose cuando se le quita de las manos. La diversión está asegurada con estos juguetes.

### ESTIRAMIENTOS

Después del baño, cuando se le aplica la crema, o con el niño tumbado en una mantita, para jugar con él, esta **mini tabla de gimnasia** y «stretching» para los pies es saludable y divertida: primero, estirar suavemente cada uno de sus dedos; después, realizar con los pies ligeros movimientos de rotación; y, finalmente, hacer con sus piernas «la bicicleta» de manera suave.

### MUCHO MÁS QUE UN PASEO

**El paseo diario es ahora una actividad esencial.** Al ir en sillita su campo de visión es más amplio, y la facilidad con la que mueve la cabeza de un lado para otro le permite no perder detalle de nada de lo que está ocurriendo a su alrededor.

"pasear sentado es lo mejor para descubrir cosas..."

# de 6 a 8 meses...

Su desarrollo:

- Relaciona caras y voces
- Se sienta y permanece sentado
- Coordina perfectamente la mano y el ojo
- Aparecen sus primeros dientes
- Empieza a gatear

Son tres meses muy intensos tanto en lo que respecta a su desarrollo como a los hitos que va alcanzando en estas semanas. Cada vez se mueve con mayor libertad, lo que le lleva a sentarse sin ayuda y a empezar a gatear.

## Se sienta

Tiene un buen control de su cuerpo, por lo que se mantiene cada vez más erguido hasta conseguir en pocas semanas **sentarse sin necesidad de apoyos**. Esta habilidad le permite alcanzar, agarrar y manipular objetos. Pasará mucho tiempo en esta postura.

## Ver y tocar

A esta edad **la coordinación de los ojos con las manos está completamente desarrollada**, por lo que es capaz de llevarse el biberón, la cuchara o una taza adaptada a la boca. A los 6 meses su agudeza visual es del 100% y puede calcular a qué distancia se encuentra cada objeto en el espacio, por lo que cuando un juguete u objeto llama su atención, puede alcanzarlo con la mano primero y desplazarse después para tocarlo y jugar con él.

## Los dientes

Aunque la dentición no sigue un patrón fijo en todos los niños, los primeros dientes (las dos paletillas centrales de la encía inferior) salen alrededor de los 6 meses, aunque las molestias pueden aparecer unas semanas antes, haciendo que el bebé **se encuentre molesto, tenga más babas de lo normal y se lleve todo lo que tiene a mano a la boca para morderlo y aliviarse**. Estos primeros dientes le permitirán masticar algunos de los nuevos alimentos que forman parte de su menú.

## Esa cara, esa voz

A partir de los 6 meses el niño empieza a relacionar las caras con sus voces y también recordará los sonidos que ha oído en otras ocasiones. Para él ya **empiezan a ser inconfundibles las voces de su padre y su madre**, a las que reconoce incluso cuando no los ve.

## El gateo

Para trasladarse a un lugar determinado, empieza a arrastrarse y, una vez que consigue levantar la barriga del suelo y coordinar el movimiento de manos y piernas, inicia el gateo, una etapa muy importante de su desarrollo que supone el mejor entrenamiento para caminar. Además, **el gateo amplía su campo visual**, le ayuda a descubrir las diferencias entre distintas superficies, refuerza su sentido del equilibrio y le proporciona autonomía y seguridad en sí mismo.

# de 6 a 8 meses...

Tiene un perfecto control de su cuerpo y sus movimientos, lo que le lleva a explorar su entorno inmediato y a relacionarse con él. Este mayor conocimiento del medio le aporta mucha seguridad y la cantidad de estímulos que encuentra en él le anima a desarrollar, una tras otra, nuevas habilidades: agarrar objetos, pronunciar nuevos sonidos, manifestar alegría y enfado, sentarse, gatear...

Este es un trimestre en el que niño **alcanza un elevado nivel de autonomía** que le va a permitir desplazarse hacia sus focos de atención, pasar mucho tiempo sentado jugando con los objetos que más le gustan e incluso empezar a manipular los cubiertos con los que va a comer. **Controla perfectamente la cabeza**, girándola con facilidad, **y los músculos de sus piernas** comienzan a adquirir la consistencia necesaria para aguantar su peso.

Alrededor de los 6 meses el color de sus ojos ha cambiado y luce el tono que será definitivo. La mayoría de los niños tiene hasta este momento los ojos claros, generalmente azulados, pero lo habitual es que en estas semanas se oscurezcan. Lo niños que a partir de los 6 meses mantienen este color los tendrán así para siempre. Por otra parte, a los 8 meses, su peso se sitúa entre los 7,200 y los 9,800 kg, dependiendo de cada bebé y de si es niño o niña (estas suelen pesar menos).

## RASGOS DE PERSONALIDAD

**A los 6 meses expresa placer o disgusto** mediante gorjeos; dos meses después, las manifestaciones de su carácter son mucho más explícitas, ya que aleja con la mano lo que no le gusta, grita para llamar la atención y protesta con vehemencia cuando su madre se separa de él.

Está en una época intensa en lo que a nuevos conocimientos se refiere, y estos empiezan por su propio cuerpo, que explora con las manos. En este momento se inician también lo que se conoce como **«contactos sociales activos» con las personas de su entorno inmediato** (madre, padre, hermanos) y cuyas primeras manifestaciones son los intentos que hace el niño por atraer la atención sobre sí mismo emitiendo sonidos y reclamando una respuesta para conocer el efecto que producen en su entorno. Aunque puede pasar mucho tiempo jugando solo, **le gusta mucho estar en compañía de otras personas** y manifiesta su interés por participar en actividades colectivas como, por ejemplo, sentarse a la mesa (algo que ya puede hacer, con la ayuda de una trona).

## LA IMPORTANCIA DEL GATEO

Según la Organización Mundial de la Salud, gatear es uno de los seis hitos motores fundamentales para aprender a caminar. Por tanto, es importante que el niño pase por esta fase de su desarrollo y no caer en el error de ponerle de pie y animarle a dar pasos antes de tiempo. Además de

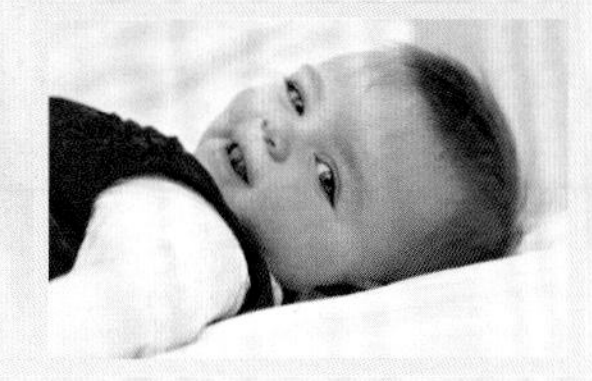

sus ventajas a nivel psicomotor, numerosas investigaciones han demostrado otros beneficios que el gateo tiene para el correcto desarrollo del niño: le proporciona una mayor capacidad respiratoria, lo que aumenta la oxigenación de su cerebro; desarrolla el sistema vestibular y el propioceptivo, que permiten saber dónde está cada parte del cuerpo; y entrena los reflejos de caída, lo que le evitará muchos golpes cuando comience a caminar.

**CADA ALIMENTO, A SU TIEMPO**

El pediatra es quien mejor puede aconsejar sobre cuándo introducir nuevos alimentos en la dieta del niño y cómo hacerlo, pero de forma orientativa, este es el calendario habitual de la alimentación complementaria:

- **A los 5 meses**. Cereales sin gluten (se añaden primero en el biberón de la cena y luego también en el del desayuno).
- **A los 5 meses y medio**. Frutas (en la merienda).
- **A los 6 meses**. Verduras (sustituyendo al biberón del mediodía). Leche de continuación.
- **A los 6 meses y medio-7 meses**. Carnes (pollo o pavo, ternera; añadidos en cantidades pequeñas, unos 50 g, al puré de verduras).
- **A los 8 meses**. Cereales con gluten (trigo, cebada, centeno, avena).
- **A los 9 meses**. Pescado (blanco, unos 50 g, añadido al puré de verduras).
- **A los 9 meses y medio**. Legumbres (añadir una pequeña cantidad de lentejas al puré de verduras). El resto de legumbres se introduce poco a poco.
- **A los 10 meses**. Yogur (natural, sin azúcar).
- **A los 11 meses**. Yema de huevo.
- **A los 12 meses**. Huevo entero (no más de uno o dos a la semana).

# con 6 meses...

Ya dispone de un amplio repertorio de logros en lo que a su desarrollo psicomotor se refiere. En este trimestre el bebé es capaz de dar la vuelta de arriba abajo y a la inversa en cuestión de segundos y, sobre todo, aprender a sentarse, una postura que, además de resultarle muy cómoda y suponer todo un hito en su desarrollo, le permite descubrir un mundo nuevo e integrarse mejor en la vida familiar.

## Ojo y mano en perfecta coordinación

Muestra un claro interés por determinados objetos y **se dirige con determinación hacia ellos para atraparlos y manipularlos. Y cada vez lo hace más rápido** y de forma más mecánica, debido a que en este momento ya ha desarrollado una excelente coordinación viso-motora.

Para que pueda practicar su coordinación ojo-mano, lo mejor son los móviles o cualquier juguete colgante que pongamos a su alcance. El bebé se esforzará por alcanzarlo.

## Repite sílabas

Comienza a **incorporar a su lenguaje las sílabas, sobre todo las labiales** (pa-pa, ma-ma, ba-ba), **y las repite una y otra vez.** De estas repeticiones pueden surgir las palabras «papá» (la suele pronunciar primero, porque le resulta más fácil) y «mamá», pero se trata de una casualidad fonética, ya que aún no las pronuncia conscientemente para referirse a sus padres.

## Se sienta solo

Este es el gran logro del bebé en estas semanas. **Para conseguirlo, primero se apoya en sus manos y poco a poco, a medida que va ganando seguridad, va poniendo la espalda recta.** Además, si está boca abajo, es capaz de apoyarse sobre el tronco y de mover ambas manos; aprende a balancearse y empieza a reptar de delante hacia atrás, un movimiento que es preámbulo del gateo.

# Los cuidados...

### ALIVIAR LA CONGESTIÓN NASAL

Si tiene catarro y la nariz taponada, un baño antes de dormir con un gel a base de eucalipto es muy útil para descongestionar las fosas nasales y las vías respiratorias. Dormirá de manera placentera.

### POSTURA PARA DORMIR

Es normal que se le ponga a dormir boca arriba y amanezca boca abajo, pero el riesgo de SMSL se reduce mucho a partir de los 6 meses. Sin embargo, hay que seguir eliminando peluches, almohadas y demás elementos de su cuna que ofrezcan peligro para el bebé.

### CULITO IRRITADO

El cambio de alimentación altera las deposiciones, favoreciendo la irritación en la zona del pañal. Hay que limpiarle bien y aplicar una crema específica, pero en poca cantidad y solo una capa ligera.

### ALIMENTOS A PRUEBA

Es normal que el niño rechace alguno de los alimentos que se empiezan a introducir en su dieta. Lo mejor es volver a intentarlo en unos días. Sus gustos pueden variar de un día a otro.

"jugar forma parte de mi crecimiento..."

### JUGUETES A MEDIDA

El juguete ideal a esta edad debe ser: seguro, con formas redondeadas, en piezas grandes, fácil de manipular y diseñado para estimular sus sentidos, favorecer el movimiento y potenciar la afectividad. Los cubos le divierten mucho: los pasa rápidamente de una mano a otra y los golpea uno contra otro o sobre una superficie, sintiéndose muy satisfecho de ser el artífice del ruido que produce.

### FRUTAS Y VERDURAS

El niño ya puede comer frutas y verduras en forma de puré. Estos primeros purés deben estar muy bien triturados para que su textura sea fina y pueda tragarlos con facilidad.

## 13 El momento de la dentición

Las 20 piezas que forman la primera dentición van creciendo en el interior de la encía e irrumpen en la boca alrededor de los 6 meses. Los llamados dientes de leche se completan a los dos años y medio.

### TODO A LA BOCA

Unas semanas antes de la aparición del primer diente **el niño siente molestias en la encía**, de ahí que se lleve a la boca todo lo que tiene a mano (sonajero, juguetes, los dedos) y lo muerda con ansiedad. Hay niños a los que se les inflaman las encías mientras que otros apenas sienten molestias.

### ALIVIAR LAS MOLESTIAS

La irrupción de los dientes puede resultar muy molesta, de ahí que **el niño se muestre muy irritable y lloroso**. También es frecuente que haya **un aumento del babeo** (puede irritarle la zona de la boca). Para aliviarle, funcionan muy bien los masajes en la encía realizados con un dedo del padre o la madre; darle un poco de agua o leche fresca, y ofrecerle un trozo de alimento duro y frío (manzana, por ejemplo). **El mordedor ofrece un gran alivio** al bebé. Está diseñado de tal forma que resulta muy atractivo y es fácil de agarrar por él. Calma sus ganas de morder, le proporciona un suave masaje y la mayoría puede meterse en el congelador unos minutos antes para que el frío, al contacto con la encía, calme la molestia y alivie la inflamación.

### KIT PARA LOS DIENTES

Tener a mano estos objetos durante la dentición reducirá las molestias que produce:

- Biberón de agua fresca
- Alimento duro y frío
- Mordedor frío
- Analgésico (consultar al pediatra)

# Guíale en su crecimiento...

## 14 Más estímulos a su alrededor

Autónomo, ágil y seguro de sí mismo, controla sus movimientos, está receptivo a todos los estímulos (sabe de dónde proceden los ruidos, sigue con la mirada) y tiene una enorme necesidad de experimentar cosas nuevas. Los juguetes y los juegos compartidos le permiten entrenar estas nuevas habilidades.

"lo más divertido es **jugar con mis padres...**"

### SUPERVISANDO SU DESARROLLO

Si a pesar de estimularle, a esta edad el niño no ha alcanzado alguno de los hitos (balbucear, sentarse sin ayuda, sonreír, reconocer a las personas de su entorno, establecer contacto visual o responder a los sonidos), **se consultará con el pediatra**.

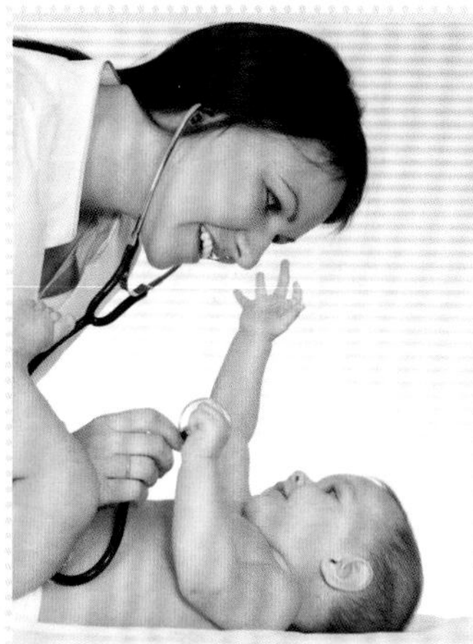

Pronuncia sílabas con facilidad, así que es buen momento para **enseñarle nuevos sonidos** con su técnica preferida: la repetición. Los sonidos guturales, las onomatopeyas, la reproducción de los sonidos de los animales... son estrategias excelentes para divertirle, configurar su futuro vocabulario y ayudarle a expresarse cada vez con una mayor fluidez.

### EL PODER DE LA REPETICIÓN

### EL ESCONDITE EN TODAS SUS VERSIONES

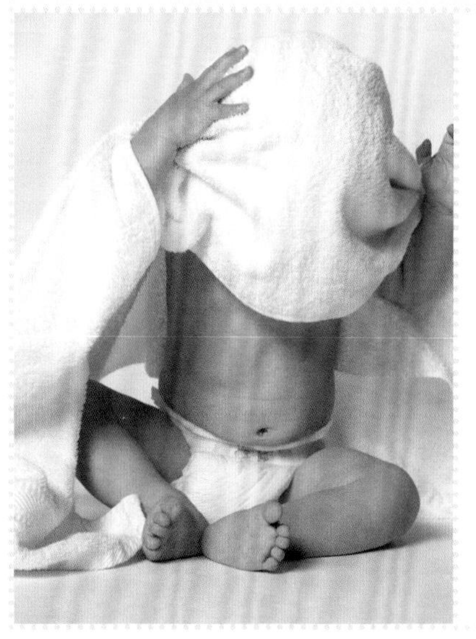

Jugar con él al «**cucu-tras**» (tapar la cara con una toalla o las manos y descubrirla después) es una actividad que le divierte mucho, así como esconder uno de sus juguetes preferidos (detrás de la espalda, por ejemplo) y después, con muestras de alegría, enseñárselo. Es un buen ejercicio para que tome conciencia de la **permanencia de los objetos** aunque estos no estén a la vista.

# con 7 meses...

Se muestra más autónomo y hace gala de una personalidad cada vez más definida, lo que favorece que no tenga sentido del peligro, así que hay que vigilarlo constantemente, recordando siempre que cuando algo despierta su interés, se desplazará hacia ello con determinación, sin fijarse en nada más. No solo controla su entorno, sino que descubre lo divertido que es hacerlo.

## Los brazos como reclamo

Empieza a saber cómo atraer la atención sobre su persona y para ello emite claramente sonidos que van variando de intensidad según la respuesta que obtiene: **balbuceos y gorjeos primero para pasar a gritos e incluso llantos después.** Suele acompañarlos de un gesto que acaba de aprender y que usará con mucha frecuencia: **el de extender los brazos para que lo sujeten y abracen.**

## Agarrar, una gran destreza

Sujeta los objetos con toda la mano, aunque sin usar prácticamente el dedo pulgar. **Los agarra con fuerza (se aferra a ellos cuando se intenta quitárselos), los mueve, los cambia de mano y se los lleva a la boca.** Está demostrado que el hecho de chupar los objetos le ayuda a hacerse una imagen mental de ellos. Además, ahora su necesidad de chupar y morder es mayor por las molestias de la dentición.

## Entrenamiento de piernas

Sus piernas sostienen el peso de su cuerpo. **Las mueve constantemente y, cuando está inquieto o no se encuentra a gusto, las estira y las deja rígidas, ofreciendo resistencia.** Algunos niños ya se ponen de pie, apoyados en alguna superficie, durante cortos espacios de tiempo. **Hay que dejarle que se incorpore de pie siempre que quiera, facilitándole puntos de apoyo** (una superficie que sea segura). De esta forma refuerza la musculatura de sus piernas y va ganando confianza.

# Los cuidados...

## MANOS LIMPIAS

En este momento en que todo lo agarra y se lo lleva a la boca es muy importante lavarle las manos a menudo y tener siempre a mano toallitas húmedas, ya que las necesitará constantemente.

## COMIDAS EN FAMILIA

Ahora que se sienta y se alimenta con plato y cuchara, puede compartir las comidas con el resto de la familia sentado en una trona. Hay varios modelos en el mercado que se adaptan a cada casa.

## DENTICIÓN TARDÍA

No hay que alarmarse si a esta edad no tiene ningún diente, ya que los patrones de dentición son variables. Y también hay niños que lo pasan mal, mientras que otros apenas sienten molestias durante la dentición.

"me gusta comer solito y ¡mancharme!..."

## USAR LA CUCHARA

Es habitual que al tener delante la papilla o el puré intente tocarlos, así que es buen momento para ponerle una cuchara en la mano y dejar que practique con ella. Ensuciará todo, pero merece la pena porque se irá acostumbrando a usarla.

## REFORZANDO LA SEGURIDAD

Ahora que el niño se mueve más y sus ansias exploradoras van en aumento es importante revisar las medidas de seguridad (bordes, enchufes, sitios a los que se pueda subir, cajones abiertos...).

## FÁRMACOS CON JERINGUILLA

La jeringuilla es una buena herramienta para darle la dosis justa de medicamento. Con él en brazos, meterle la jeringuilla en la boca, dejándole que chupe y empujar despacio para que salga poco a poco el contenido hacia la parte posterior de la lengua. Así se evitará el rechazo del medicamento.

## 15 Los alimentos de su menú

A los 5 meses ya come frutas y a los 6 meses, verduras en puré. En este mes ya se puede incluir la carne en esos purés. Hay que consultar siempre al pediatra sobre la introducción de nuevos alimentos en su dieta y observar cómo reacciona el niño. Los alimentos más alérgenos son los que se le dan al bebé lo más tarde posible: pescado, huevo, leche de vaca, fresas y frutos secos.

### PURÉS MÁS COMPLETOS

Camuflar la carne en el puré añadiéndola en trocitos pequeños y **triturando todo muy bien**. Las primeras veces, para que no note un cambio de sabor y rechace el puré, lo mejor es que este contenga una buena cantidad de las verduras que le gustan (la zanahoria, por ejemplo), y poco a poco introducir otras variedades en la preparación.

### RESPETAR LOS TIEMPOS

Aunque tenga mucho apetito y coma bien, **hay que seguir las pautas y el orden en que se recomienda añadir los nuevos alimentos**; hacerlo antes de tiempo puede producir infecciones digestivas como la diarrea del destete.

### EL PAPEL DE LAS PROTEÍNAS

La presencia de carne en su menú le asegura el aporte de proteínas de origen animal, **un nutriente que es esencial en este momento de fuerte crecimiento** y desarrollo en que se encuentra. Hay que empezar incluyendo las carnes más ligeras, como la de pollo y pavo, y pasar luego a la ternera (siempre y cuando el bebé no sea alérgico a la proteína de la leche de vaca). Se suele aconsejar esperar a los 9-10 meses para incorporar el pescado.

# Guíale en su crecimiento...

## 16 Nuevas habilidades, nuevos miedos

El uso cada vez más coordinado de las manos hace que ya sea capaz de sujetar él solo el biberón e incluso pueda a empezar a iniciarse con la práctica de los cubiertos, aunque todavía sin demasiado éxito. Le encanta oír su propia voz y mantiene largas conversaciones consigo mismo, las cuales es conveniente no interrumpir porque se disgustará.

"bebo agua solito porque ya soy mayor..."

### OBJETIVO: BEBER DEL VASO

Puede sujetar objetos con ambas manos sin dificultad, así que se le ofrecerán los líquidos distintos a la leche en un vaso o **taza específico para bebés**, que **tiene asas y una tapa con boquilla que regula el flujo**. Esta nueva forma de ingerir líquidos supone un hito importante porque pasa de succionarlos a beberlos (ya irá dominando la técnica en los meses siguientes). Estará feliz de disfrutar de esta independencia a la hora de beber.

### EL «LALEO»

En la progresiva incorporación de sílabas a su vocabulario aparece ahora el «laleo», y repite la secuencia «la-la» constantemente. **Esta sílaba le resulta muy fácil de pronunciar** y le da pie a canturrearla, «componiendo» sus peculiares piezas musicales, en las que pasa de los sonidos graves a los agudos de manera constante.

### RELACIÓN CON LOS EXTRAÑOS

En este momento se refuerza el **apego hacia su madre**, a la que reclama emitiendo sonidos y llorando cuando no está. Puede hacer pucheros y **mostrarse reticente** cuando entra en contacto **con personas desconocidas**. Es una reacción normal. Para que se sienta protegido hay que intentar estar siempre presentes cuando el niño se encuentre con personas ajenas a su entorno y establecer con él contacto visual para que no se sienta desamparado en ningún momento.

# con 8 meses...

El mayor dominio de su cuerpo hace que ya esté preparado para empezar a gatear o a dar sus primeros pasos, un momento que muchos padres esperan ansiosos: cada niño lleva su ritmo, pero todos tienen una necesidad de desplazarse que hay que fomentar, pero siempre sin forzarle ni acelerar el proceso. Sus balbuceos y sílabas ya se convierten en palabras concretas, a veces comprensibles, pero otras no.

## Curiosidad al máximo

Cada vez es más consciente de su entorno y sus habilidades motoras están coordinadas con sus sentidos. Esto, unido a que ya tiene mucha fuerza en brazos y piernas, hace que esté **en continuo movimiento, desplazándose hacia todo lo que despierta su interés** (ruidos, voces, personas, objetos) y llegando hasta sus juguetes, sujetando los que le gustan y arrastrándolos hacia otro lugar.

## Sentado y disfrutando

Alcanza la sedestación oblicua, que le permite girarse a izquierda y derecha e inclinarse hacia un lado apoyándose en una mano. Este dominio de la postura le permite **acceder a un mayor número de juegos y juguetes**, con los que se entretiene durante horas.

Para reforzar esta zona de la cintura, muy importante cuando empiece a gatear, va muy bien un masaje realizando suaves movimientos de arrastre hacia el culito o trazando amplios círculos hacia los costados.

## Texturas con tacto

El sentido del tacto es muy importante y para estimularlo, nada mejor que hacerle cosquillas (le encantan), pasar por su piel objetos de diferentes texturas y colores (para que empiece a diferenciarlos) y darle distintos tipos de papel (de burbuja, de periódico, de celofán) para que los manipule y estruje (que es lo que suele hacer) y **compruebe su tacto y sonido**.

# Los cuidados...

### PRIMEROS «PAPÁ» Y «MAMÁ»

Repite continuamente «papá» (generalmente primero) y «mamá», pero no con la intención de llamarlos, sino que está practicando ambas palabras, que le resultan muy familiares.

### ENTORNO DE JUEGO

Es bueno ponerlo a jugar en un lugar seguro, en posición sentada, y colocando alrededor juguetes a distinta distancia, ya que le encanta ir hacia ellos para sujetarlos aunque estén fuera de su alcance.

### VIAJES EN COCHE

Además de la sillita, hay que tener una pantalla parasol para la ventana del niño, toallitas húmedas y algún juguete para entretenerle.

### LAVANDA NOCTURNA

Si no duerme bien o se despierta a menudo por la noche, se puede usar aceite esencial de lavanda en un difusor para la habitación. Tiene propiedades sedantes que le tranquilizarán.

"qué rico está, ¡me gusta comer!..."

### PRACTICANDO LA MASTICACIÓN

Darle con frecuencia alimentos duros (manzana, zanahoria cruda) es bueno para la salud de sus dientes y supone un buen ejercicio de masticación que le permitirá adaptarse mejor a los alimentos sólidos que se introducirán en su dieta más adelante.

### CHAPOTEOS

El niño ya puede disfrutar sentado en una piscina inflable con un poco de agua en la que se introducen juguetes que floten.

### TELEVISIÓN: MEJOR, NO

De vez en cuando se le puede poner algún programa educativo específico para bebés, pero los expertos de la Academia de Pediatría Americana aconsejan que los niños no adquieran la costumbre de ver la televisión hasta después de los 2 años y, siempre que se haga, en pequeñas dosis.

## 17 El gateo

Al gatear, el niño desarrolla sus sentidos y pone en marcha distintos tipos de movilidad. Además, está demostrado que el gateo tiene muchos beneficios a nivel neuronal. Es el mejor entrenamiento que existe para cuando comience a caminar en unos meses.

"soy el más rápido recorriendo el pasillo de casa..."

### PREPARACIÓN PARA PONERSE DE PIE Y CAMINAR

El arrastre del **gateo refuerza la articulación de la cadera**, muy importante para sostener el peso de su cuerpo cuando se ponga de pie. También **fortalece la columna vertebral, la musculatura y las extremidades**, y le permite aprender la oposición a la gravedad. Los expertos insisten en que no hay que forzar al niño a ponerse de pie. El conocimiento del espacio y del equilibrio que le proporciona el arrastre primero y el gateo después y la confianza y seguridad que le da tener un punto de apoyo son fundamentales para ponerse de pie en el momento en que su espalda y su musculatura estén preparados.

### ANIMARLE A GATEAR

Muchos niños empiezan a gatear sin necesidad de ningún estímulo. A otros, en cambio, hay que animarles, y la mejor forma de hacerlo es ponerlos con frecuencia en el suelo (debe estar limpio, a buena temperatura y dentro de un espacio seguro y acogedor). Un recurso efectivo es **poner a su alcance una pelota y moverla**: el hecho de seguir con la vista el objeto en movimiento le animará a arrastrarse hacia él y favorecerá el gateo.

# Guíale en su crecimiento...

## 18 Interpretar sus gustos

Con su peculiar lenguaje y, sobre todo, con la expresión de su cara, transmite claramente qué le gusta y qué le desagrada. Esto es más evidente en el caso de la comida: la forma en la que cierra la boca y rechaza determinados alimentos contrasta con su alegría cuando come una papilla dulce, por ejemplo.

### CORRALITO Y OTROS ESPACIOS

El corralito es una buena opción para que esté seguro y entretenido, pero a esta edad puede limitar sus ansias exploradoras, así que **lo mejor es alternarlo con actividades en el suelo** y en espacios en los que pueda gatear. Pero se hará siempre que se eviten peligros (enchufes, esquinas de mesas...) y ante la vigilancia de un adulto. Los bebés gatean muy rápido y hay que controlarlos constantemente.

### LLANTO E INSEGURIDAD

Es muy habitual que muchos niños sufran lo que se denomina **«ansiedad de separación»** que les lleva a llorar muy desconsolados si pierden de vista a su madre. Y es que aunque ahora es más autónomo, **siente inseguridad cuando no está en su ambiente habitual** y su madre no se encuentra dentro de su campo visual. Fomentar el contacto con otras personas reduce esta excesiva dependencia hacia los padres y le ayuda a socializarse de una manera natural, sin traumas ni tensiones innecesarios.

### ATENCIÓN A SUS GESTOS

Aleja con la mano todo aquello que no le gusta nada; grita intensamente para llamar la atención; se calla cuando algo logra captar su interés; protesta si no quiere quedarse solo; aparta un juguete que no le interesa y centra todos sus esfuerzos en alcanzar otro que le gusta; se pone rígido si se le tiene en brazos y quiere gatear; hace esfuerzos para salirse de la trona si no quiere comer... Está claro que **sabe lo que quiere en cada momento** e intenta transmitirlo para que se le haga caso.

# de 9 a 11 meses...

Su desarrollo:

- Conoce el nombre de las cosas
- Se pone de pie con apoyo
- Entabla conversaciones «sin sentido»
- Interacciona con los demás
- Busca la atención y la aprobación

Grandes cambios en muy poco tiempo, pero el más significativo de todos es el nivel de autonomía que alcanza: se desplaza, juega y se comunica a su antojo, y demuestra con vehemencia sus primeras filias y fobias.

## Allí está

Señala con determinación con el dedo cuando quiere algo y, de la misma manera, **indica los objetos cuando se le pregunta dónde está algo**. Conoce los nombres de sus familiares y los señala cuando los escucha. Identifica a los animales con los sonidos que estos producen.

## Un ser social

Puede pasar mucho tiempo hablando consigo mismo (le encanta escuchar los sonidos que produce), pero cada vez es más consciente de las personas que le rodean. **Descubre a los otros niños y se muestra feliz en su compañía**, aunque aún no comparte juegos con ellos. Ya **es capaz de interactuar con su madre o la persona que lo cuida**, dándole un objeto y recibiéndolo cuando se lo ofrecen. Está integrado en la vida familiar, respondiendo con sonidos a todo cuanto ocurre a su alrededor.

## Primeras conversaciones

Cada vez **entiende más cuando se le habla** y va incorporando nuevos sonidos a su repertorio, como la «t» y la «d». Es capaz de **entablar una animada conversación sin significado** pero muy prolífica en lo que a expresividad y variación de tonos se refiere.

## Llamadas de atención

Le encanta estar rodeado de personas y hacerles partícipes de sus nuevas habilidades, por eso **grita, manifiesta una amplia variedad de sonidos y arroja objetos al suelo** con fuerza, para comprobar su reacción ante el ruido que producen. Responde cuando se le hacen preguntas.

## Listo para caminar

A partir de los 9 meses empieza a hacer **intentos por ponerse de pie, agarrándose** a alguna superficie firme que esté a su altura. Poco después se sujeta durante unos minutos, sosteniéndose en un punto de apoyo con una o dos manos y, si lo sujetamos de las manos, intenta dar algunos pasos. **Poco a poco se va manteniendo de pie durante más tiempo** empleando sillas y mesas para apoyarse y alrededor de los 11 meses se desplaza con mucha facilidad entre los muebles.

# de 9 a 11 meses...

Un aventurero inquieto, hablador y emprendedor: esta es la definición que se podría hacer de él al final de estos tres meses. A su desarrollo físico, que se hace especialmente visible en la musculatura de sus extremidades, se unen las nuevas habilidades psicomotrices que adquiere. Todo ello le proporciona un elevado grado de autonomía que practica descubriendo su entorno.

A los 9 meses la mayoría de los niños son expertos «rastreadores» primero y «gateadores» después para pasar en poco tiempo a **ponerse de pie, bajar y subir escalones** con facilidad, y algunos incluso a **dar sus primeros pasos**. Durante estas semanas de intensa actividad el niño explora su entorno de todas las maneras posibles y lo hace con un total dominio de su cuerpo. Junto a la gran capacidad para desplazarse, otro de los logros en esta etapa es que **puede hacer la pinza** (utiliza los dedos pulgar e índice para hacer el gesto de agarrar), lo que le permite alcanzar y manipular objetos cada vez más pequeños (muchos niños se pueden pasar un buen rato jugando con una miga de pan, por ejemplo). Las primeras veces que pone en marcha esta nueva habilidad es muy difícil que deje que le quiten el objeto que tiene entre los dedos, ya que aún no entiende el concepto de soltar, el cual adquirirá en pocas semanas y lo pondrá de manifiesto arrojando todo lo que encuentre a su alcance.

## CEREBRO EN PLENO DESARROLLO

Durante todo el primer año de vida el desarrollo neuronal del bebé sigue un ritmo frenético, lo que favorece el aprendizaje de muchas habilidades en poco tiempo. Hay muchas teorías y técnicas dirigidas a niños de esta edad con el objetivo de favorecer este aprendizaje, pero los expertos coinciden en que **la mejor forma de potenciar el desarrollo del cerebro del bebé es rodearle de un ambiente lo más estimulante posible**, ya que no hay método, DVD o estrategia pedagógica que pueda sustituir a la interacción con sus padres y otras personas de su entorno habitual. Leerle, cantarle y hablar con él y ofrecerle nuevos estímulos y experiencias vitales todos

## PRACTICANDO FUTURAS CHARLAS

El avance que se ha producido a lo largo de estas semanas en **sus habilidades comunicativas** se va a plasmar en los próximos meses en las primeras palabras «con significado» del bebé, pero este hito no se produce de un día para otro, sino que es fruto de un entrenamiento en el que los padres tienen mucho que ver. Los expertos insisten en que, aunque alrededor de los 4 años los niños tienen claras las reglas del lenguaje de forma innata, el papel que juegan los padres en los estímulos que recibe durante los primeros meses de vida en este sentido es fundamental. A partir de los 9 o 10 meses, se puede comprobar cómo el bebé empieza a **repetir muchas de las palabras que escucha habitualmente en su entorno**. Para reforzar esta habilidad es importante hablar mucho con él, enseñándole palabras nuevas y repetirlas varias veces; realizar juegos con sonidos; usar frases cortas y simples al hablar con él, y repetirlas; hablarle despacio, con voz melodiosa (así centra su atención y escucha durante más tiempo); establecer turnos de conversación y esperar a que él responda; y, sobre todo, hacerle tomar conciencia de que él es una parte fundamental en la conversación.

los días es la mejor manera de potenciar el desarrollo de sus capacidades intelectuales.

## MENÚS VARIADOS

Una forma de estimular su desarrollo es ofrecerle una cantidad cada vez más amplia de frutas y verduras e introduciendo algunos alimentos nuevos como el yogur, la carne y los cereales con gluten. **El hecho de que ya tenga más dientes le va a permitir morder**, así que también se pueden incluir nuevas texturas, alternando los purés y las papillas con alimentos duros como las galletas o trozos de frutas y verduras crudas. **Es capaz de sujetar el biberón con ambas manos y también empieza a manejarse con la cuchara.** Para facilitarle la tarea, es mejor darle una que tenga un mango largo y que sea fácil de manipular. No se trata ahora tanto de que deposite en el cubierto la cantidad suficiente de comida como de que practique la técnica de agarre y consiga una mayor autonomía a la hora de alimentarse.

## SU SEGURIDAD ANTE TODO

El niño es curioso por naturaleza, y mucho más a esta edad, lo que le hace **estar expuesto a un mayor número de riesgos y peligros.** Hay que evitar estar continuamente acotándole y prohibiéndole explorar a sus anchas (algo que es fundamental para su desarrollo mental, físico y psicológico). Lo más recomendable es anticiparse a sus acciones y para ello nada más útil que ponerse a la altura del niño (gateando o andando de rodillas) para así comprobar cuáles son los peligros que quedan a su alcance. De esta forma **se le proporcionan zonas seguras** en las que puede dar rienda suelta a sus ansias exploradoras.

# con 9 meses...

En este momento se ha convertido en un experto en cambiar súbitamente de posición: en cuestión de segundos se arrastra, se sienta, gatea y se gira en redondo para alcanzar un juguete que ha llamado su atención u observar a alguien que se cruza en su camino. Sus juegos preferidos ahora son el escondite y los cubos, que utiliza de mil y una maneras, y es una actividad de la que nunca se cansa.

## A dos manos

Se produce en esta etapa que ahora inicia uno de los hitos más importantes en cuanto a su coordinación se refiere: **es capaz de golpear un objeto con una mano mientras sostiene uno distinto con la otra**. Hasta ahora usaba ambas manos para sujetar un mismo objeto, por lo que se trata de un paso muy importante en su desarrollo psicomotor.

## Gateo en todas sus versiones

Muchos niños **empiezan a gatear ahora**; otros, en cambio, dominan la técnica con virtuosismo y, además de hacerlo con mucha rapidez y a gran velocidad, pueden incluso desplazarse llevando un juguete en una de las manos. Las escaleras les resultan muy atractivas: intentará subirlas y bajarlas, así que hay que extremar la seguridad y colocar rejas protectoras específicas para impedirles el paso.

## La pinza

Otro hito importante es que **empieza a usar el pulgar, es decir, hace la pinza, primero con toda la mano y luego ya solo con los dedos índice y pulgar**. Este logro, junto a una adecuada coordinación óculo-manual, le va a permitir agarrar objetos más pequeños y, más adelante, será fundamental para rasgar, pintar, colorear y, sobre todo, escribir.

# Los cuidados...

## TOALLITAS SUAVES Y SEGURAS

Las sustancias que contienen las toallitas húmedas permanecen mucho tiempo en contacto con la piel, por eso es preferible elegir las que no tienen perfume e incluyen emolientes suaves (manzanilla, aloe vera).

## VOCES QUE RELAJAN

Un truco que calma a los bebés es escuchar canciones interpretadas por otros niños (los villancicos, por ejemplo). El timbre de voz parecido al suyo llama mucho su atención y logra dejarlo relajado.

"pasito a pasito voy aprendiendo..."

## GIMNASIA PRE-CAMINATA

Si ya empieza a ponerse de pie es recomendable que lo haga descalzo, ya que así fortalecerá los músculos y los tendones y le resultará más fácil apoyar la planta del pie en el suelo. Es buen momento para darle una o ambas manos al niño y pasear con él en el parque o alrededor de la habitación para que practique cómo apoyar los dos pies.

## MARCAR LÍMITES

Distingue muy bien los tonos de voz y empieza a diferenciar cuándo un «no» contundente significa prohibición. Hay que intentar reservar este tipo de negación para advertirle de posibles riesgos.

## JUGUETES MÁS PEQUEÑOS

Su recién estrenada habilidad de hacer la pinza le permite sujetar juguetes más pequeños y también mejorar la coordinación entre ambas manos, así que jugar a encajar unas piezas en otras es una buena opción para desarrollar esta habilidad.

## CARRERA DE OBSTÁCULOS

Un buen estímulo que también sirve de entrenamiento para su musculatura consiste en elaborarle un circuito improvisado con juguetes y otros obstáculos que tendrá que ir sorteando a medida que avanza.

## DE REPENTE, INAPETENTE

Las molestias que siente debido a la dentición pueden quitarle el apetito, pero es algo momentáneo. En estas circunstancias, no hay que forzarle a comer, sino darle pequeñas cantidades de los alimentos que más le gusten, y preferiblemente fríos, para que le calmen el dolor que sufre.

## 19 Alergias e intolerancias

Entre un 3 y un 4% de los bebés sufre alergia a las proteínas de la leche de vaca y muchos presentan intolerancia a la lactosa. Los síntomas son distintos en una y otra, y es importante diagnosticarlas cuanto antes para adaptar su dieta. En el mercado existen leches específicas para ambos problemas.

### EVITAR ESTORNUDOS

Si el bebé tiene **alergia al polen**, hay que evitar exponerlo al mismo: no abrir las ventanas ni sacarle al parque o zonas muy floridas en las primeras horas de la mañana ni después de las 6.00 de la tarde.

### DISTINTOS SÍNTOMAS

Los síntomas de la alergia a la proteína de leche de vaca son **vómitos, diarrea, manchas en la piel, tos e incluso reacciones alérgicas graves**. Si lo que sufre el bebé es una intolerancia a la proteína de la leche de vaca, los síntomas son difíciles de detectar: pérdida de peso, rechazo a la alimentación o vómitos ocasionales.

"bebo una leche que no tiene lactosa..."

### LAS MÁS FRECUENTES

El listado de las alergias más frecuentes en bebés lo encabeza **la alergia a los alimentos**, la **dermatitis atópica**, el **asma producida por la alergia al polen** y la **rinoconjuntivitis alérgica** y, por último, la **alergia a los medicamentos**. Un tipo de alergia que ha aumentado en los últimos años es al látex, de ahí que los pediatras recomienden evitar las tetinas y chupetes de este material y optar por los de silicona.

# Guíale en su crecimiento...

## 20 Diversión y aprendizaje

Todo lo que le rodea es un estímulo para él. Para que saque el máximo partido a su entorno y practique sus habilidades, es recomendable organizarle un poco el juego y las actividades diarias, haciendo que supere pequeños retos. La variación y el factor sorpresa son muy importantes.

### JUGUETES IDÓNEOS

Estos son los juguetes más indicados para este periodo:

- Cubos de plástico de distinto tamaño
- Juguetes sonoros
- Música infantil
- Juegos de percusión
- Pelotas

### LO QUE SABE HACER

El **repertorio de habilidades que exhibe es cada vez más amplio**, y va alternando unas con otras, o incluso hace varias a la vez: recuerda juegos que ha hecho el día anterior; encuentra objetos que ha visto esconder; si tiene ambas manos ocupadas, arroja un objeto para agarrar otro; puede apilar cubos y meter unos dentro de otros con bastante destreza.

"tiro un objeto y suena, ¡qué divertido!..."

### SONIDOS Y MÁS SONIDOS

Ya conoce en qué consiste la relación causa-efecto y prueba de ello es que una de las cosas que más le gustan y le entretienen es **emitir sonidos que él mismo crea**. Se puede pasar horas de pie en la cuna, arrojando objetos al suelo y celebrando el ruido que producen. También disfruta mucho tocando el tambor, agitando juguetes sonoros o tocando las maracas o la pandereta.

### CUIDADO, PELIGRO

Hay que **concienciarlo de los riesgos que existen en la casa** enseñándole, por ejemplo, lo que significa la palabra «quema»: sujetarlo en brazos y, a una distancia segura, acercar su mano al horno para que sienta el calor y luego apartársela haciendo gestos de dolor. Enseguida comprenderá qué se le está explicando y evitará tocar fuentes de calor. Poco a poco irá aprendiendo qué no puede tocar y qué no implica riesgo alguno.

# con 10 meses...

Es un ser independiente que se desplaza, juega y se comunica cada vez con una mayor seguridad y autonomía. Reconoce su nombre cuando se le llama y también es capaz de identificar los nombres de las personas más habituales de su entorno. También comienza a comprender perfectamente el significado del «no» y sabe que su madre emplea un tono distinto al decirlo.

## Observa, copia e imita

Examina atentamente todo lo que ocurre a su alrededor, especialmente **los gestos y las reacciones de su madre**: imita cómo se peina, canturrea con ella y se preocupa si la ve llorando o disgustada. Sabe lo que tiene que hacer cuando se le dice «adiós» o «haz palmas, palmitas». Y de la misma forma, señala e identifica objetos cuando se le hacen preguntas del tipo «¿dónde está el perrito?».

## Rasgos de carácter

Están **definidos los perfiles más característicos de su personalidad**: si es tranquilo o inquieto; cauto o aventurero; tímido o sociable... Ya ha escogido sus peluches, juguetes, canciones y cuentos preferidos. **Y únicamente obedece a órdenes sencillas, pero cuando quiere**.

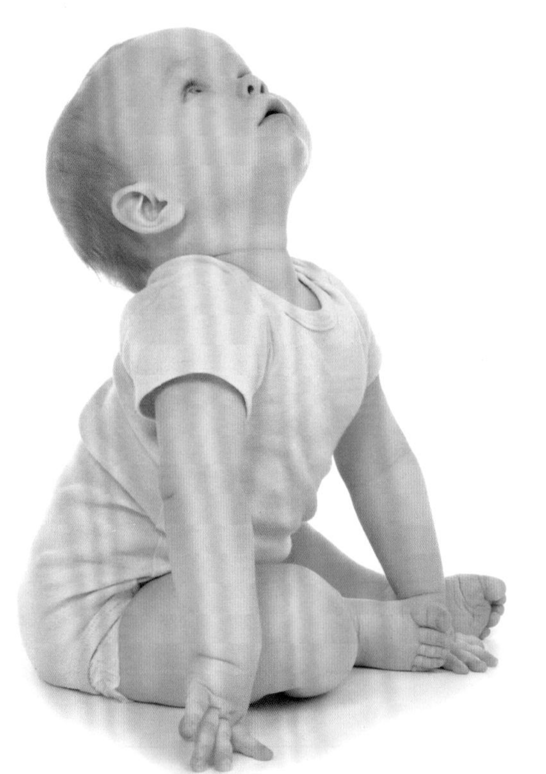

## Participa en su alimentación

No se limita a tragar la comida que le dan, sino que **empieza a participar activamente en el acto de comer: tiende a mordisquear todo y a chupar la cuchara (a veces con tal intensidad que es difícil sacarla de su boca) y a querer sujetarla él a toda costa.** También comienza a empujar la comida hacia los dientes y a practicar los movimientos laterales de la lengua cuando está comiendo.

# Los cuidados...

### GIMNASIA OLFATIVA

Para estimular su sentido del olfato y acostumbrarle a nuevos olores, acercarle a plantas y flores y también a productos caseros aromáticos como un pastel o su champú, por ejemplo.

### LA YEMA DE HUEVO

El huevo no se debe añadir a sus menús hasta los 10-11 meses, pero solo la yema y tampoco entera. Darle un cuarto de la yema el primer día, dos veces por semana; a la semana siguiente, media yema... Y así sucesivamente hasta incluir un huevo entero en su dieta.

### HIGIENE DENTAL

Cuando aparecen los primeros dientes es recomendable limpiarlos a diario, utilizando un cepillo infantil, pequeño y blando, pero sin dentífrico.

### SUELOS PARA PASEAR

El niño pasa ahora mucho tiempo en el suelo, así que se debe mantener esta superficie perfectamente limpia y lavarle las manos siempre después de sus «excursiones».

## "cómo me divierte ver fotos..."

### ÁLBUM FAMILIAR

Un buen entretenimiento es enseñarle fotos de sus familiares. Si se intercalan con imágenes impersonales (un paisaje, por ejemplo), su sorpresa al identificar a su familiar será mayor todavía.

### CONTRA LA OTITIS, CALOR

Está ampliamente demostrado que el calor seco alivia las molestias. Para ello calentar con la plancha una gasa y ponerla en el oído o cubrir una manta eléctrica con una toalla y hacer que repose su cabeza sobre ella, del lado del oído.

### DÓNDE ESTÁ

Disfruta descubriendo objetos escondidos. Para él es un reto encontrarlos y un triunfo sujetarlos y enseñárselos a mamá o papá. Otra sugerencia es animarle en esta búsqueda poniendo música y subiendo el volumen a medida que el niño se acerca al escondite para crear tensión.

## 21 Entorno a su medida

La rapidez y facilidad con las que se desplaza le permiten el acceso a otras habitaciones y rincones del hogar. Es muy importante hacer una revisión de los objetos y las circunstancias que ahora pueden presentar un riesgo para él. Es preferible no escatimar esfuerzos porque los accidentes caseros son muy habituales y nunca se sabe cuándo ni cómo se van a producir.

### ATENCIÓN, ENCHUFES

El hecho de poder hacer la pinza le permite meter los dedos en huecos y enchufes (ejercen una especial atracción sobre él); **hay que cubrirlos con tapones especiales de plástico**. Los **bordes de mesas y esquinas** salientes de los muebles son un peligro cuando el niño gatea y, sobre todo, cuando empieza a ponerse de pie, así que **deben protegerse con protectores de caucho**.

"todo me atrae y me parece muy interesante..."

### PELIGROS OCULTOS

Hay **objetos aparentemente inofensivos que ahora tienen mucho riesgo** porque el niño es capaz de acceder a ellos: **bolsas de plástico**; sprays de cualquier tipo; cortinas y **manteles** a los que puede agarrarse, tirando todo lo que hay encima; y **cuerdas**, cintas, cinturones, ovillos de lana y todo aquello que pueda enredarse en su cuello, brazos y piernas.

# Guíale en su crecimiento...

## 22 Reforzar su autonomía

Hace muchas cosas por sí solo y cada vez quiere hacer más, enfadándose cuando no se le deja tocar algo o se le impide ir a un sitio. Hay que reconducir sus ganas de aprender con nuevos juegos y rutinas y empezar a enseñarle que debe saber esperar o obedecer ante un «no.

### PARA SER AUTOSUFICIENTE

- Canciones
- Marionetas
- Cuentos personalizados
- Prestarle mucha atención

"soy capaz de comer solo..."

### LECCIONES AL VESTIRSE

Es frecuente que al vestirlo el niño colabore metiendo los brazos en las mangas. Y también que se niegue a ponerse determinada prenda. Se puede aprovechar este momento para **repasar con él los nombres de las partes de su cuerpo**.

Es el momento de introducir opciones nuevas de juegos como, por ejemplo, las marionetas, o cantarle **canciones y contarle cuentos en los que él sea el protagonista**. También es importante interactuar con él cuando realice sus frecuentes monólogos en su peculiar idioma, animándole a seguir con frases del tipo: «¿de verdad?», «¡qué bien!». Se sentirá protagonista e importante.

### PAPEL PROTAGONISTA

### ÉL SOLITO

Puede comer solo alimentos como galletas o trocitos de pan, con los que también juega pasándolos de mano a mano. Cuando se trata del puré o la papilla, insiste en comerlo solo, ensayando con la cuchara. Hay que dejar que lo haga ya que aunque no logre introducir mucha cantidad de alimento en la boca y ensucie todo el entorno, **este gesto refuerza mucho su seguridad**.

# con 11 meses...

Ya domina totalmente la técnica del gateo y consigue mantenerse en pie cada vez con más soltura. A esta edad, reivindica su autonomía cada vez que tiene ocasión, pero sobre todo cuando se sienta a la mesa, un terreno que domina: tras varios intentos, es capaz de sujetar la cuchara con la mano y disfruta imitando la forma de comer del resto de la familia porque es un juego que ha descubierto ahora.

## Reafirmación personal

Comienza a **verse a sí mismo como una persona única e independiente**, que es capaz de actuar al margen de sus padres o cuidadora. Esta mayor autonomía le enseña que «si hace algo», obtiene resultados, y **lo aplica a sus emociones para conseguir lo que quiere**: son sus primeras rabietas, que se manifiestan a través de gritos, llantos y, sobre todo, arrojando objetos al suelo.

## Allí está

El **bebé puede ahora contestar a algunas preguntas**, aunque las respuestas no son siempre comprensibles. **Le gusta responder a los «¿dónde está?»:** busca el objeto y lo señala con el dedo, un gesto que también usa, junto a sonidos repetitivos, cuando quiere lograr algo muy concreto (un juguete, el biberón, ir a dormir...).

## Toma, dame

El desarrollo de **la sociabilidad se intensifica ahora: ha descubierto a otros niños y le gusta mucho estar en su compañía**, comunicándose pero aún sin compartir juegos con ellos, ni interactuar en exceso. **Empieza a interactuar con otras personas**, entregando y sujetando cosas, y experimenta el placer de ofrecer objetos a otros, sobre todo a su madre, aunque al principio se muestra bastante reticente a soltarlos hasta que no se le insiste varias veces.

# Los cuidados...

### DIETA LÍQUIDA

El tratamiento de la diarrea es una dieta líquida: agua en abundancia, sobres con polvos preparados para su disolución en agua (contienen glucosa y sales minerales) y agua de arroz o cocción de zanahoria.

### ESE SOY YO

Reconoce los nombres de los objetos y también cuál es el suyo. Debemos utilizar su nombre cuando nos dirijamos a él y también cuando aparezca en una foto o se refleje su imagen en el espejo.

### RUBIO NATURAL

Hay champús infantiles que incluyen camomila entre sus ingredientes, una sustancia que aporta suavidad y, además, potencia el color rubio de los bebés que tienen el pelo de este color.

## "qué divertido es bañarse..."

### CHAPOTEOS DIVERTIDOS

El baño, siempre que el niño esté vigilado por un adulto, puede convertirse en un momento de entretenimiento y diversión muy gratificante. Los aros protectores para sentarse le permiten estar seguro y jugar con juguetes que flotan.

### FONDO DE ARMARIO

Su ropa tiene que ser amplia y cómoda (sin lazos ni otros adornos) para permitirle gatear, ponerse de pie y dar sus primeros pasos con libertad. El algodón 100% es siempre el tejido más recomendable porque permite que el cuerpo transpire.

### PIERNAS EN FORMACIÓN

Es normal que tenga las piernas arqueadas, ya que sus músculos aún están en desarrollo. Las actividades con las que la ejercita y los masajes le ayudan a fortalecer la musculatura de estas extremidades. Por eso hay que dejar que se mueva libremente y a sus anchas, siempre dentro de un marco de seguridad.

## 23 Primeras normas

Es el momento de empezar a reforzar sus conductas con elogios y también corregirle con un «no» firme, pero sin asustarle. De esta forma empieza a tomar conciencia de que sus acciones tienen límites y de que hay una serie de normas que debe cumplir para lograr una convivencia excelente con las personas de su entorno.

### PACIENCIA

Aunque ya comprende el significado del «no» y de algunas prohibiciones, **aceptarlas y respetarlas le supone un proceso de aprendizaje más lento**, así que hay que darle tiempo.

### EL PODER DE LA NARRACIÓN

Aunque el bebé no comprenda aún el significado de muchas palabras, **es importante hablarle** como si lo supiera, explicándole, por ejemplo, por qué es peligroso que se acerque a determinado sitio o lo grande y fuerte que se va a poner si toma toda la comida. También **es muy efectivo** (y capta mucho su atención) **narrarle paso a paso** cómo se hace determinada actividad (guardar los juguetes, bañarle) mientras esta se realiza.

### TÚ PUEDES

En las **actividades cotidianas** (vestirse, jugar, seleccionar sus juguetes) hay que **animarle a participar** y a hacer él solo algunos gestos como meter los brazos en las mangas o guardar un peluche en el cajón, festejando cada paso y aplaudiéndole y alabándole cuando lo consiga. Esto le anima a repetir la hazaña al día siguiente y aumenta su seguridad en sí mismo.

## 24 Cuentos y canciones

A esta edad es muy importante interactuar con él, hablarle utilizando distintos registros, responderle prestándole atención y aprovechar cualquier ocasión para animarle a expresarse. Leerle cuentos, contarle historias y cantarle canciones son excelentes estrategias para «conversar» con él.

### SIEMPRE JUGANDO

No hay que «darle una clase» de cómo hablar, sino **jugar con él y animarle a interactuar siempre en un contexto de diversión**. Tampoco hay que corregirle (si llama «pipis» a los pájaros, hay que dejarle que así lo haga) ni forzarle que le diga algo a alguien. Todo ello es contraproducente a la hora de aprender a hablar.

"aprendo palabras con esta canción..."

### TODOS LOS DÍAS

Es muy importante **leer a diario con él**. Aunque aún no conozca todas las palabras, centra toda su atención y permanece callado mientras se le lee. Y hay que involucrarle en esta actividad, señalándole personas y cosas en las fotografías y dibujos y pidiéndole que lo haga él también. Otra forma de implicarle es **dejarle que sea él quien pase las páginas y señale los dibujos**.

### NANAS, UN VALOR SEGURO

Los sencillos estribillos que caracterizan a las canciones infantiles son **muy útiles a la hora de enseñarle nuevas palabras**. Además, le resultan muy fáciles de aprender y de repetir, así que es buena idea incluir la música en su rutina diaria. Las nanas rítmicas, que incluyen hacer algún movimiento (como el clásico «palmas, palmitas»), son una apuesta segura y resultan muy eficaces a la hora de desarrollar su intelecto y su capacidad psicomotora.

# de 12 a 14 meses...

Su desarrollo:

- Empieza a caminar
- Construye y destruye torres de cubos
- Pasa las páginas de un libro
- Juega constantemente
- Cambia continuamente de actividad

Inquieto, curioso y con un dominio casi perfecto de su movilidad, es un pequeño explorador que necesita ampliar horizontes y poner en práctica sus habilidades. Los juegos y los juguetes son indispensables en esta etapa.

## Primeros pasos

Hacia los 12 meses **se mantiene de pie solo y sin apoyos** y a partir de ahí (unos niños lo hacen antes; otros, después) **empezará a caminar**, al principio de forma titubeante pero adquiriendo enseguida seguridad y un gran dominio de la técnica.

## Construcciones verticales

**Los cubos son las mejores herramientas para practicar la destreza manual** y empezar a descubrir conceptos como dentro-fuera, arriba-abajo. Es importante que tenga siempre cubos de varios tamaños y colores a su alcance. Puede pasar mucho tiempo jugando con ellos, intentando encajarlos primero y poniéndolos unos sobre otros después. **A los 14 meses ya puede hacer una torre de hasta tres cubos**, y de destruirla después, algo que le divierte especialmente.

## Habilidades manuales

**Puede hacer por sí solo gestos cotidianos** como sujetar el teléfono, agarrar y manipular la cuchara o pasar las páginas de un libro, una actividad que le gusta mucho ya que le permite descubrir fotografías y dibujos que le sirven de estímulo.

## Juego exterior

**El grado de desarrollo** que tiene en este momento **le permite sacar todo el partido de las actividades al aire libre**. El escondite, el balón y otros juegos que desarrolla en casa adquieren un nuevo significado para él cuando los realiza en un parque o jardín.

## Intereses variados

El **amplio repertorio de actividades que es capaz de realizar** favorece que se aburra rápidamente de hacer lo mismo (aunque sea jugar con su muñeco preferido) y esté continuamente buscando nuevas experiencias, que disfruta y celebra con gritos y aplausos. **Es inestable e imprevisible**, así que hay que tener una vigilancia constante sobre él y conseguir el equilibrio entre acotarle espacios seguros y permitirle dar rienda suelta a su afán explorador.

# de 12 a 14 meses...

En el transcurso de este primer año de vida el niño ha experimentado una increíble transformación que le ha llevado de ser un recién nacido indefenso a una persona independiente. Inicia ahora una etapa en la que el ritmo de aprendizaje va a ser intenso y continuo, mientras que a nivel físico las habilidades adquiridas estarán sometidas a un entrenamiento constante.

Como media, los niños empiezan a caminar a los 12 meses, pero no se trata de una edad «universal», sino que algunos lo hacen unos meses antes y otros unos meses después. De la misma manera, hay bebés que no gatean sino que pasan directamente de la posición sentada a ponerse de pie, mientras que otros, aunque se mantienen perfectamente sobre ambos pies, prefieren seguir gateando porque les divierte más y les permite desplazarse más rápidamente. Por lo general, **cuentan con el apoyo de muebles y sillas (a las que empujan) para dar sus primeros pasos o se aferran con fuerza a la mano de un adulto**. La vigilancia por parte de los padres debe ser constante, ya que son frecuentes las caídas y los tropiezos y puede hacerse daño.

## CONTACTO CON LA NATURALEZA

Parques, jardines, playas, campo... son entornos que tienen muchos beneficios para la salud infantil ya que le permiten estar en contacto con el sol (imprescindible para la producción de vitamina D) y el aire puro, un bien escaso en las grandes ciudades. **Es muy beneficioso que descubra nuevas texturas como el césped o la arena** y también que entre en contacto con los olores, sonidos y colores que caracterizan el ambiente que rodea sus actividades al aire libre. Además, el hecho de encontrarse en un entorno diferente al habitual **le proporciona una sensación de libertad** que, unida a los nuevos estímulos que recibe, fomenta su creatividad, algo muy importante en estos momentos. Para que saque todo el partido de esta experiencia es recomendable que siempre lleve consigo alguno de sus juguetes para que pueda experimentar la sensación de realizar una misma actividad en entornos distintos.

## PREVENCIÓN DE LA OBESIDAD

Los menús del niño ya contienen prácticamente todos los nutrientes; de hecho, **muchos expertos definen el tipo de alimentación a esta edad como un menú de adulto, con cinco comidas al día, pero con cantidades adaptadas a la edad del niño**. Es importante respetar esta estructura y que el niño no pique entre horas, no solo para evitar que llegue a la hora de comer sin hambre, sino también para prevenir la obesidad infantil, un problema que cada vez preocupa más a los especialistas en el tema y que tiene su origen en unos malos hábitos alimenticios adquiridos desde edades tempranas. También en este sentido es muy beneficioso que el niño haga actividades al aire libre ya que, al disponer de mayor espacio, se mueve y se ejercita más, lo que beneficia a su peso y le permite dormir mejor por la noche, ya que el cansancio es mayor cuando se ha jugado al aire libre.

## LLAMADAS DE ATENCIÓN

Los niños de esta edad se dan cuenta de que son el centro de las atenciones de la mayoría de la familia, un rol que les gusta mucho y que reivindican cuando consideran que no se les presta la debida atención. Y es que **la tolerancia a la frustración a estas edades es mínima**: cuando el niño no consigue lo que quiere o se le prohíbe hacer algo, empieza a protestar enérgicamente y a reaccionar de forma cada vez más airada. Son los prolegómenos de las rabietas infantiles, contra las que los padres ya deben empezar a estar prevenidos y cuyo antídoto consiste en establecer en este trimestre límites muy definidos que se han de respetar a diario.

## LA ANSIEDAD ANTE LA SEPARACIÓN

Aunque a diferencia de lo que ocurría cuando era más pequeño, ahora sabe que cuando **su madre** se separa de él siempre vuelve, y **el niño se aferra a ella y llora cuando la ve salir por la puerta**. Es una reacción normal que desaparece por sí sola en torno a los 2 años. Para gestionarla, los expertos aconsejan seguir una rutina cada vez que se vaya a separar del bebé: nunca hacerlo a escondidas (el niño lo interpretará como una desaparición y aumentará su angustia), sino despedirse siempre de él; decirle a la persona que se vaya a quedar con el niño que lo distraiga mientras se va; salir lo más rápidamente posible para evitar añadir dramatismo a la despedida; y, al regresar, darle un abrazo muy fuerte para que el niño sea consciente de cuánto lo quiere y vuelva a sentirse seguro. **No todos los niños experimentan esta ansiedad**: a algunos, este sentimiento les dura muchos meses, mientras que otros solo lo manifiestan cuando se produce un hecho puntual, como un cambio de cuidadora o el nacimiento de un hermano.

# con 12 meses...

Respecto a cuando era recién nacido, su peso se ha triplicado, su altura ha aumentado en un 50% y el tamaño de su cerebro es aproximadamente un 60% del que tendrá cuando sea un adulto. A partir de ahora, su crecimiento se va a ralentizar, algo que puede preocupar a los padres, pero el proceso de aprendizaje de nuevas habilidades seguirá a buen ritmo.

## Sus primeros pasos

**La mayoría de los niños dan ahora sus primeros pasos, firmes y hacia una dirección decidida por ellos** (y no por quien les lleva de la mano). Al principio son cortos y titubeantes, y busca enseguida con la vista un punto de apoyo (aunque no siempre lo utilice), pero en poco tiempo se sostiene de pie sin sujeción alguna. Sabe cuáles son sus dimensiones y calcula muy bien las distancias.

Si se le da la mano para ayudarle a caminar no hay que transmitirle miedo o ansiedad, sino ofrecerle mensajes de ánimo, celebrando cada paso y dando un tono festivo a la experiencia.

## Pequeño lector

Ya es capaz de **pasar él solo las páginas de los libros de cuentos**, una habilidad que le encanta. **Hay que animarle a que pase él las páginas de un libro de cartón**, así entrenará esta práctica y pronto será capaz de hacer lo mismo con un libro convencional.

Es importante que tenga a su disposición un **amplio repertorio de libros adaptados a su edad** que, además de dibujos e historias, permiten otras actividades, ya que incorporan sonidos, texturas blandas, juegos sencillos y elementos como solapas con «sorpresa».

## Gestos autónomos

**Hace ya muchas cosas por sí solo**: come con los dedos, participa activamente cuando se le viste o se le baña y utiliza cada vez con mejor técnica elementos tan cotidianos como la cuchara de la papilla, el cepillo del pelo o el auricular del teléfono. Le gusta imitar las acciones habituales de los adultos.

# Los cuidados...

### PEDICURA A PUNTO

Para cortarle las uñas de los pies sin que se mueva hay que distraerle: vídeos musicales; hacer que otros niños o adultos jueguen con marionetas o muñecos delante de él, bailen, canten... Todo vale.

### VESTIR, DESVESTIR

Una buena idea es hacerle una prenda a su juguete preferido (chaqueta, pantalón) que se cierre con velcro y animar al niño a vestirlo y desvestirlo mientras se hace lo mismo con él. Aprendizaje por imitación.

### CUIDADO EN LA MESA

Cada vez come más cosas, pero hay que tener cuidado con alimentos como las uvas enteras, los trocitos de salchicha, las palomitas o cualquier otro con el que se pueda atragantar.

"la **revisión del año** es importante..."

### FRUTAS PARA EL RITMO INTESTINAL

Si está estreñido, además de determinar las causas, podemos ayudarle dándole zumos de frutas o un puré hecho con albaricoque, naranja o pera, alimentos que favorecen el tránsito intestinal.

### VISITA AL PEDIATRA

La revisión del año es muy importante ya que, además del control de peso y talla, es buen momento para comentar con el pediatra cómo está asimilando los nuevos alimentos, los patrones de sueño que tiene y la forma de andar, entre otros aspectos de su desarrollo.

### SORPRESAS INESPERADAS

Para saciar sus ansias de nuevas experiencias, se le puede dejar manipular objetos cotidianos como cucharas de madera o varillas de cocina; u ofrecerle una selección de objetos de distinta textura dentro de una caja para que los vaya sacando y comprobando que son muy distintos unos de otros.

## 25 Leche de fórmula adaptada a su edad

Lo ideal es que entre la leche materna (o de sustitución) y la de vaca (recomendada a partir de los 18 meses) el bebé se alimente con las llamadas leches de crecimiento. Constituyen el paso intermedio entre una y otra para evitar que beba leche de vaca (con su proteína y lactosa) demasiado pronto. Su aparato digestivo lo agradecerá porque la leche de crecimiento es más tolerable para el niño.

### LA DE VACA PUEDE ESPERAR

Las **leches de crecimiento están formuladas para cubrir las necesidades del organismo** del bebé en este momento. Se recomienda introducirlas en la dieta a partir del primer año, antes de que empiece a tomar la leche de vaca que consume el resto de la familia. Hay que recordar que primero el bebé debe tomar leche materna (o de sustitución, si se alimenta a biberón) para pasar luego a las de inicio y las de continuación.

### BENEFICIOS A MEDIDA

Por ejemplo, la leche de vaca tiene una gran cantidad de proteínas cuya ingesta excesiva puede favorecer la aparición de alteraciones digestivas y otros problemas futuros como la obesidad, mientras que **el contenido en proteínas de la leche de crecimiento es menor**.

### FÁCIL DE INCORPORAR

**El sabor y la consistencia de la leche de crecimiento le resulta muy agradable al niño**, así que se puede introducir sin más, cuando se acabe el último bote de leche de continuación. No hace falta mezclar ni hacer introducciones graduales.

## 26 Primeros zapatos

Aunque hay zapatos «de gateo», muy flexibles y de suela blanda, los expertos coinciden en que lo mejor es que el niño comience a usar zapatos cuando empiece realmente a andar. Hasta ese momento, la mejor opción son los calcetines y zapatillas blandas con suela antideslizante.

"con unos buenos zapatos practico mejor..."

### CÓMO ACERTAR EN LA ELECCIÓN

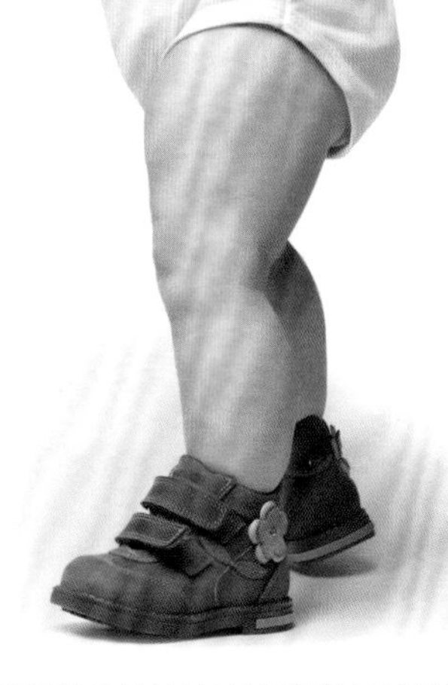

Debe ser un **zapato ligero**, de **forma cuadrangular y lo más flexible posible**; con **suelas antideslizantes y refuerzos laterales y posteriores**, para evitar que el pie se ladee; de un material transpirable (tela o piel), que permita «respirar» al pie, evitando la excesiva sudoración y otras consecuencias como las infecciones por hongos.

### CONFORT INTERIOR

Es preferible que **el forro interior no tenga costuras**, ya que su piel es muy sensible y puede producirle heridas o rozaduras. Los que se abrochan en la lengüeta o el empeine sujetan bien el pie y le dan una mayor movilidad. Y habrá que rechazar los zapatos ya usados que nos regalen otras personas porque el interior estará en mal estado y perjudicará el pie del bebé.

### SU NÚMERO DE PIE

Ni muy grande ni apretado: el zapato debe ajustarse al pie del bebé. Para ello, **hay que probárselo con los calcetines puestos**, comprobando que desde las puntas de los dedos hasta el extremo delantero sobre 1 cm como mínimo. También hay que presionar en la punta por la parte superior para ver si los dedos la rozan (lo que significa que necesita una talla más).

# con 13 meses...

Todo lo que encuentra a su alrededor llama su atención y le incita a desplazarse, por lo que no para quieto ni un minuto. Por esta razón, es normal que muchos niños pierdan algo de peso a esta edad, debido a su intensa actividad física. Controla muy bien los movimientos de sus piernas y las habilidades que puede realizar con sus manos son cada vez más, así es que habrá que ofrecerle juegos y actividades apropiados a esta etapa.

## Rapidez y coordinación

Se pone **de pie sin ayuda**, aunque su equilibrio es aún insuficiente; **camina solo, sube escaleras gateando y se arrodilla**. Estas nuevas habilidades convierten a las escaleras en un importante foco de atracción para el niño, algo que hay que tener muy en cuenta por el riesgo que implica; por eso, se le debe limitar el acceso con barras protectoras específicas.

## Escenas copiadas

Empieza a **reproducir** fielmente **los gestos y actitudes que hacen las personas de su entorno**: sujeta el teléfono y saluda; da de comer y tapa con una mantita a juguetes y peluches; canturrea las canciones que escucha habitualmente o reproduce los «no» enérgicos que se le dicen a él.

## Dotes de constructor

Una de las actividades que **más le gustan** en este momento es **manipular cubos, hacer torres con ellos y, sobre todo, destruirlas**. Por eso, uno de los mejores estímulos que se le pueden proporcionar es hacer delante de él construcciones con cubos (cuanta más variación de colores tenga, mejor) y animarle a que las derribe. También puede empezar a encajar piezas circulares en un tablero.

### CUENTOS QUE HABLAN

Añadir a sus juegos cuentos que incorporan sonidos es una buena estrategia para que practique su lenguaje y animarle a pronunciar sus primeras palabras (aunque no se entienda bien qué está diciendo).

### AJUSTES SOBRE RUEDAS

Comprobar que la silla del coche es la idónea a la edad y el peso actuales del niño, ajustando las correas si están demasiado apretadas y, sobre todo, asegurándose de que no puede salirse de ella.

### A SU CUARTO

Si aún comparte habitación con los padres, hay que pasar la cuna al que va a ser su dormitorio. Dependiendo de cómo duerma el niño y cómo reaccione, este cambio puede hacerse progresivamente o de una sola vez. Así irá comprendiendo y asimilando que debe ocupar su propio espacio y no el de papá y mamá.

"a veces me cuesta dormir y mamá me tranquiliza..."

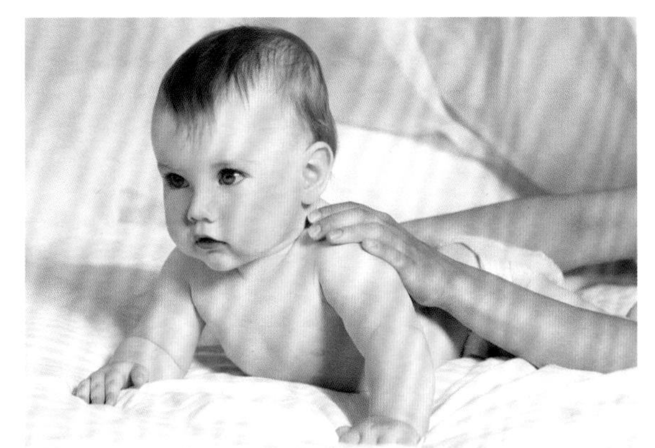

### MASAJE ANTI-INSOMNIO

Para ayudarle a conciliar el sueño, tumbarlo de lado y frotarle hombros y espalda, de arriba a abajo, con toda la palma de la mano. Después, frotar suavemente sus sienes, con la palma de la mano ahuecada. Abrazarle servirá para reducir sus miedos.

### QUÉ LE DUELE

Aún es difícil saber si le duele algo. Hay que tener en cuenta señales como si está más irritable de lo normal o otras cosas.

### PELO LIMPIO

El cuero cabelludo del bebé no segrega grasa, pero ahora se ensucia más porque sus manos tienen contacto con distintas sustancias que se depositan en su pelo cuando se lo toca, así que hay que lavárselo con más frecuencia. Lo mejor es usar un champú específico de niños porque no irrita los ojos.

# 27 Perder el miedo al agua

Aunque hay expertos que aconsejan un contacto más temprano con el agua, a partir de ahora es más fácil manejar al niño en la piscina, aunque no todos lo pasan bien en esta primera experiencia. La clave es tener un poco de paciencia.

## CHAPOTEOS CON BENEFICIOS

**El medio acuático favorece su desarrollo corporal, cognitivo, motriz y social.** Le permite ejercitar sus músculos y experimentar con la percepción del agua en su cuerpo. Además, el hecho de que el agua sea transparente **le permite ejercitar su agudeza visual.** También desarrolla sus habilidades manuales al intentar atrapar el agua con las manos y descubrir con sorpresa que salpica al chapotear.

## JUGUETES QUE FLOTAN

Los juguetes acuáticos no solo **hacen más ameno el momento del baño** sino que también contribuyen a que el niño **pierda el miedo** al agua, ya que asocia este medio con diversión. También le inician en el conocimiento de la física: unos flotan, otros se hunden...

## ENSAYANDO EN LA BAÑERA

Lo que más miedo da a los bebés es **meter la cabeza debajo del agua.** Una buena estrategia antes de hacer la primera inmersión es dejar caer sobre su cabeza el agua de la ducha primero y de una jarra después (para que el chorro sea más abundante). Al principio se asustará e incluso llorará, pero poco a poco se acostumbrará y perderá sus temores.

# Guíale en su crecimiento...

## 28 Actividades al aire libre

Todas las habilidades que el niño ha desarrollado a lo largo de las últimas semanas le van a permitir disfrutar plenamente de las actividades que lleva a cabo al aire libre, en el jardín, en el parque o en la playa. El cambio de entorno le ofrece nuevos estímulos y emociones, que le harán disfrutar de experiencias únicas que contribuirán a su desarrollo en todos los ámbitos.

### PIEL PROTEGIDA

Siempre que vaya a estar expuesto al sol hay que **aplicarle un protector solar específico**, que contiene filtros solares adaptados a las características de la piel infantil. Un gorrito es un buen aliado contra el sol. Y para **protegerle de los mosquitos** se puede recurrir a un **repelente de insectos para niños**, aplicándolo en las zonas más susceptibles a recibir las picaduras (brazos, manos).

### EL BALÓN, UN CLÁSICO QUE NO FALLA

Le encanta lanzar el balón y que los adultos se lo devuelvan. Una buena idea es llevar al parque **balones y pelotas de diferentes tamaños** (de fútbol, de playa, pelotas de tenis...) **y jugar con él a lanzar** cada vez uno de ellos y en diferentes direcciones. Si ya camina solo, también se le puede animar a que les de patadas y así practique la coordinación y el equilibrio.

### ESCONDER TESOROS

Le encanta **encontrar objetos ocultos**, así que se puede realizar una versión adaptada a él de **la búsqueda del tesoro escondiendo sus juguetes y objetos** preferidos en macetas y cubos de colores colocados a lo largo del jardín. Para ponérselo más fácil y añadir emoción al juego, extender una cinta o serpentina entre un escondite y otro para que busque tesoros.

"me muevo a mis anchas en el parque..."

# con 14 meses...

Consigue dominar muchas de las habilidades que viene practicando desde unos meses atrás, como el manejo de la cuchara o beber del vaso. El entorno que le rodea pasa ahora a ser muy importante para él; está totalmente pendiente de lo que hacen sus padres y los reclama continuamente para jugar. Por otra parte, su mayor seguridad al andar le lleva a explorar nuevos territorios por toda la casa o por el parque o jardín.

## Relaciones sociales

A través del juego comienza a relacionarse y a **interactuar cada vez más con los otros niños**. Aún no los ve como amigos, sino como «objetos» que observa, analiza y se atreve a tocar tímidamente. A esta edad es típico que se desarrolle el juego paralelo: dos niños, **jugando uno al lado de otro, pero cada uno con su juguete**, sin intercambiar gestos o miradas.

## Diversión compartida

**Disfruta mucho compartiendo juegos con sus padres, saltando sobre sus rodillas, escondiendo la cara con las manos o jugando al escondite**. Es importante dedicar un tiempo todos los días (aunque solo sean unos minutos) a realizar este tipo de actividades «cuerpo a cuerpo», independientemente de otros ratos que se comparten con él leyendo, cantando, jugando con sus juguetes...

## La hora de la escalada

Una vez que **camina con soltura**, el siguiente paso es hacerlo «hacia lo alto», **subiendo escalones**. Podemos ayudarle a entrenar haciendo que suba y baje almohadones o cajas de plástico resistentes. Siempre hay que proteger el acceso del niño a las escaleras porque es normal que se tropiece y se caiga porque su equilibrio no está desarrollado al máximo.

### CUIDADO CON LA PLANCHA

Es el electrodoméstico que provoca más accidentes infantiles, por lo que nunca hay que apoyarla en el suelo al enfriarla ni dejarla sobre la mesa, aunque esté apagada, ya que puede tirar del cable y caerle en un pie.

### A OSCURAS O CON POCA LUZ

Se recomienda que los niños duerman con la luz apagada para no alterar su ciclo de sueño. Pero si le asusta la oscuridad, se puede colocar una pequeña luz de noche específicamente diseñada para habitaciones infantiles.

### RUTINAS ALTERADAS

Hacer un viaje o tener invitados son alteraciones de la rutina que hacen que el niño esté más irritable. Tener a mano su juguete preferido e intentar en lo posible respetar sus horarios le tranquiliza.

### DEPORTIVAS: MEJOR, NO

Hay modelos de zapatillas de deporte para bebés que son muy atractivas, pero es mejor esperar a que el niño sea mayor porque no sujetan convenientemente el pie.

## "debo dormir con la luz apagada..."

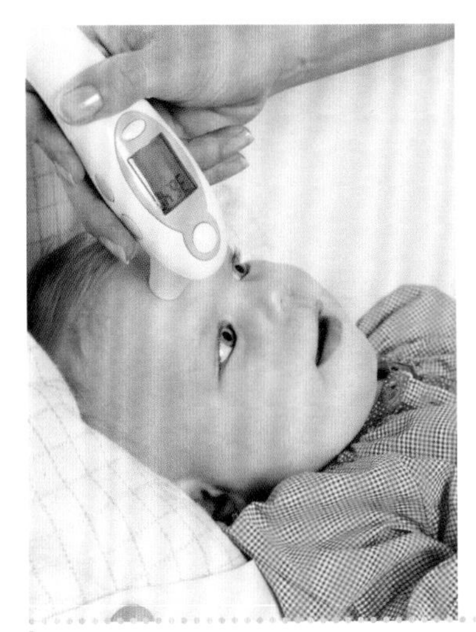

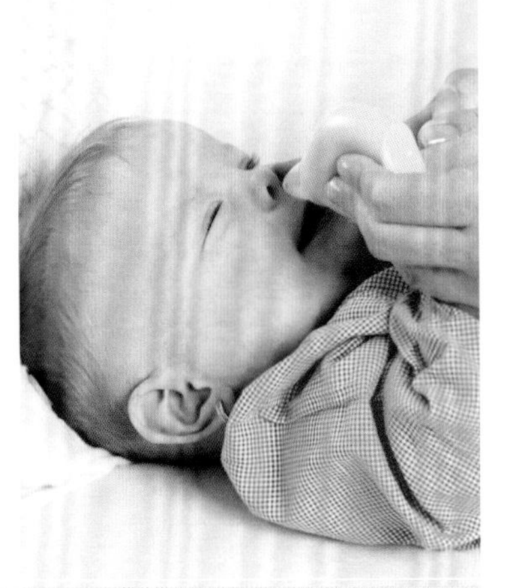

### PRIMEROS RESFRIADOS

Puede tener gripe o catarro por primera vez, ya que pasa más tiempo en el exterior y su sistema inmune aún no está del todo desarrollado. Si tiene fiebre, consultar al pediatra antes de medicarle.

### LAS LEGUMBRES

Se introducen en su dieta habitual entre los 12 y los 14 meses, puestas en remojo la noche anterior y añadidas al puré en semanas sucesivas en este orden: lentejas, garbanzos y habas.

### AROMAS TÓXICOS

No se debe encender incienso donde esté el niño, ya que su combustión desprende gases que no son recomendables. Lo mejor es perfumar con aromas suaves, como el de su colonia.

## 29 Protección solar

No se recomienda exponer a los niños al sol antes de los 6 meses y a partir de esta edad siempre hay que hacerlo aplicándole antes la debida fotoprotección y cubriendo la cabeza con un gorrito.

### CREMA INFANTIL

Los **productos solares para niños** ofrecen protección total (frente a las radiaciones UVA, UVB e infrarrojas); son resistentes al agua (marina y de la piscina) y al roce (arena, sal), hipoalergénicos, sin colorantes ni perfumes, e incluyen ingredientes calmantes y nutritivos (vitamina E, extractos de aloe vera y de avena).

### FACTOR DE PROTECCIÓN SOLAR (SPF)

Hay que **aumentar la protección** en los **niños muy rubios y de piel muy blanca** (un SPF como mínimo de 30). Si tiene la piel sensible se suele recomendar un protector pantalla total de SPF 50. Todas las líneas solares específicas para niños que existen incluyen productos de este tipo.

"en la playa, siempre con gorrito..."

### APLICAR Y REAPLICAR

Hay que aplicar el producto solar como mínimo **media hora antes de la exposición al sol**, en cantidad abundante: nunca debe ser inferior a 20 cc de crema para todo el cuerpo. Es importante **aplicarlo** de nuevo, como mínimo, **cada dos horas**, y antes incluso si el niño se está moviendo mucho o sudando abundantemente, y, **siempre, cuando salga del agua**, aunque se trate de un producto resistente a ella y de muy alta protección.

# Guíale en su crecimiento...

## 30 En la bañera

Los niños de esta edad disfrutan mucho del baño. Suelen lucir un abdomen prominente, que se hace más evidente ahora que el resto del cuerpo se ha «estirado». Es algo totalmente normal y, a medida que sus huesos se vayan alargando y su musculatura se termine de desarrollar, su cuerpo será más proporcionado. En la bañera irá descubriendo su propio cuerpo.

### ESPONJA NATURAL

Las esponjas para bebés **son más suaves que las otras**, lo que ayuda mucho en el cuidado de su piel, tan delicada en esta etapa.

### MASAJE CAPILAR

Al aplicar el champú se le puede dar un masaje con las yemas de los dedos, **haciendo movimientos circulares**. Este gesto **le relaja** y favorece el riego sanguíneo del cuero cabelludo, lo que **permite que el cabello crezca más fuerte**. Son momentos de mucho relax en los que se intensifica la relación entre el bebé y sus padres.

"¡qué relajantes son los masajes en la cabeza!"

### BAÑERA: HIGIENE Y DIVERSIÓN

Disfruta mucho del baño (para muchos es **el momento preferido del día**). Le encanta que le pasen la esponja por todo el cuerpo. Hay que **insistir** en algunas zonas como **el cuello y la barbilla** (suelen quedar restos de papilla), el espacio que queda **entre los dedos de las manos** (le encanta sujetar todo tipo de objetos) y **las rodillas** (una de las zonas que está más en contacto con el suelo, el césped, la arena...).

### EL CABELLO

Los niños que hasta ahora tenían poco pelo o este era muy fino empiezan a lucir una cabellera bastante más poblada. Esto se debe a que a partir de ahora, **su cabello irá produciendo** cada vez más **queratina** (una proteína que forma parte de la estructura del cabello), la cual **aporta una mayor densidad a su pelo**. La tipología definitiva (liso, fino, rizado) no se establece hasta los 18 meses, por lo que es normal que en los siguientes meses esta vaya cambiando y los padres se lleven alguna que otra sorpresa en el aspecto de su hijo.

# de 15 a 17 meses...

Su desarrollo:

- Intenta subirse a superficies elevadas
- Se aferra a su «objeto de consuelo»
- Su imaginación está muy activa
- Demuestra su enfado arrojando objetos
- «Habla» sin parar

Manifiesta su autonomía cuando juega y al elegir un juguete preferido entre los demás. Tiene un nivel de comprensión elevado: entiende más palabras de las que puede pronunciar e interpreta el lenguaje gestual de su entorno.

## Tolerancia cero

Aunque emite gritos y sonidos aún indescifrables cuando algo no le gusta, **la manifestación habitual de su enfado o descontento es arrojar con fuerza objetos al suelo**, un gesto bastante frecuente ya que su tolerancia a la frustración es muy baja.

## La importancia de «su» objeto

El llamado objeto sustituto o de consuelo forma parte ahora de su mundo. **Es un juguete, prenda u objeto elegido por él y que le ofrece seguridad**, así que no hay que caer en el error de cambiárselo por otro, por muy nuevo y atractivo que este sea.

## Mente creativa

Su motricidad fina está en pleno desarrollo, lo que le abre nuevas posibilidades en lo que a destreza manual se refiere; **tiene capacidad para concentrarse durante mucho tiempo en una misma actividad**; y ha descubierto las gamas de colores y que hay objetos que son iguales entre sí. Todo ello lo aplica a sus juegos y, de hecho, empieza a mostrar interés por objetos tan anodinos como una caja de zapatos que le permiten echar a volar su imaginación.

## Su idioma

Su expresión verbal alcanza ahora su punto álgido, y la **mayoría de los días no para de «hablar» pero**, eso sí, **en su peculiar idioma** en el que ya empieza a haber bastantes palabras inteligibles («agua», «caca», «nene»), pero la mayoría de ellas pronunciadas «a su manera».

## Gusto por trepar

La facilidad con la que camina hace que las superficies llanas no le resulten lo suficientemente motivadoras, así que **empieza a buscar emociones nuevas** y «más fuertes», **y las encuentra en las baldas, los cajones abiertos, los taburetes que le facilitan el acceso a otras alturas**... Para que practique esta habilidad sin riesgos hay que ofrecerle juegos y actividades con desniveles (cajones de distinto tamaño a los que pueda subir sin caerse, por ejemplo).

# de 15 a 17 meses...

La unión de destrezas y creatividad actúa como un auténtico motor que le lleva a explorar con avidez todos los entornos en los que se encuentra. Sigue prefiriendo jugar solo (aunque al final de este trimestre puede hacer algún amago de socialización con otros niños) y aunque ya es autónomo y se siente «libre», comprueba a menudo que sus personas y objetos más preciados se encuentran cerca de él.

El nivel de desarrollo que alcanza en este momento se hace muy evidente **en la fuerza y coordinación que demuestra con sus brazos y piernas y en la forma en la que se mueve continuamente**, buscando nuevas experiencias y descubriendo juegos y actividades por sí mismo: ahora le resulta mucho más atractivo cualquier juguete u objeto que llame su atención (y al que considera un «hallazgo») que los que le ofrecen su madre o cuidadora, aunque sean vistosos y especialmente adaptados a su edad. Es el momento de las cajas de cartón, de los recipientes de plástico, de los botes de yogur vacíos...

**ENERGÍA PARA CANALIZAR**

Es fundamental proporcionarle al niño opciones que le permitan canalizar toda esa energía que derrocha en este momento, y una de las mejores formas de hacerlo es llevarle al parque a diario . El entorno y las instalaciones que le ofrecen estos espacios le abren un mundo de posibilidades para practicar los dos tipos de actividades que más le entretienen ahora: descubrir «tesoros» debajo de la apariencia superficial de las cosas (por ejemplo, haciendo agujeros en la arena, sacando objetos de dentro de cajas y cajones) y pasar mucho tiempo manipulando, jugando, comprobando el color y la forma, etc., de **elementos simples a los que dota de vida a través de su imaginación**.

Otras ideas para ayudarle a dar rienda suelta a su energía y ansias de movimiento es **hacer gimnasia con él** (le encanta compartir actividades con un adulto, imitarle y también que el adulto le imite a él) y **ponerle todos los días un rato de música alegre y divertida y animarle a bailar**.

Aunque en vista de la frenética actividad que ahora desarrolla lo lógico sería pensar que el niño va a dormir de forma más profunda y durante más tiempo, en muchos casos ocurre justamente lo contrario: la mayor cantidad de estímulos que recibe a diario y el desarrollo de su imaginación hacen que empiece a tener sueños más o menos intensos que propician que se despierte a medianoche.

**MOTRICIDAD FINA, MOTRICIDAD GRUESA**

En los niños de distinguen dos tipos de habilidades motrices que ahora se encuentran en pleno desarrollo: la gruesa y la fina. Durante los meses anteriores ya ha tenido la oportunidad de poner en marcha la motricidad gruesa, que es la que afecta a los grandes grupos musculares: movimiento de piernas, brazos, cabeza, abdomen y espalda, y que es la que está implicada en los gestos de darse la vuelta, levantar la cabeza, gatear, sentarse, ponerse de pie y caminar. Aunque esta motricidad sigue en evolución, este es un momento clave para la motricidad fina, es decir, la que implica a pequeños grupos musculares de la cara, los pies y las manos. Y son precisamente las destrezas motrices finas manuales las que más van a destacar en este momento: los movimientos pequeños del dedo pulgar, el manejo de los distintos dedos, la mayor utilización de las muñecas... Todas las actividades que favorezcan el desarrollo de estas habilidades no solo son muy beneficiosas, sino que le van a resultar muy atractivas: apilar bloques, llenar y vaciar recipientes y, sobre todo, descubrir la pintura de dedos son las más recomendables.

### OSITO, CHUPETE, CALCETÍN... ¿POR QUÉ LE CONSUELAN?

A esta edad la mayoría de los niños tienen lo que se denomina un «objeto de consuelo» o «sustituto», al que se aferran con vehemencia y del que no pueden prescindir. Habitualmente se trata de un juguete (blando, como ositos y peluches), pero puede ser de cualquier tipo: una mantita, un calcetín, incluso su chupete. **Se trata de un objeto que él conoce muy bien** y que seguramente ha estado a su lado desde que tenía pocos meses, de ahí la función «consoladora» que este ejerce sobre el niño: **le recuerda lo conocido y le da seguridad**, por eso lo reclama y no se desprende de él cuando está enfermo, tiene una pesadilla, llega el primer día de guardería o, simplemente, se aburre. De hecho, en cierta medida, el objeto puede actuar a modo de «sustituto» de la madre cuando no está delante. Este apego es absolutamente normal y forma parte de esta etapa de desarrollo. En este sentido, los estudios realizados sobre el tema han demostrado que aquellos niños que de bebés tuvieron un fuerte vínculo con su objeto de consuelo manifiestan unas mejores habilidades sociales cuando son adultos.

# con 15 meses...

Necesita rutinas lo más estables posibles, ya que la sucesión de las mismas actividades todos los días y más o menos a la misma hora y en el mismo orden le permite saber lo que va a suceder después, y eso le proporciona una gran sensación de seguridad y tranquilidad. Especialmente importantes son los gestos y rituales relacionados con el sueño, la comida, el baño y el juego.

## Riesgo y velocidad

**Camina cada vez más y mejor, y lo hace ya a mucha velocidad**, así que son **frecuentes las caídas**, tropiezos y demás percances. No suelen revestir importancia y los daños no van más allá de un chichón, un rasponazo o un moratón, pero el niño se asusta y es necesario que los padres le consuelen, le mimen y, sobre todo, que le **quiten importancia a la caída**, ya que si los ve agobiados, se sentirá peor.

## Palabras con sentido

Sigue con su peculiar **lenguaje ininteligible,** pero ya hay **algunas palabras que pronuncia claramente y con todo el sentido: «papá», «mamá»** (ahora sí plenamente consciente de lo que dice y con la intención de llamarlos y captar su atención) o el nombre de sus hermanos. Su vocabulario crece día a día (aunque no entendamos muy bien lo que dice cuando «habla»). Son palabras sin sentido, pero resultan muy divertidas porque las entona de tal manera que sí se le entiende.

## Su objeto personal

Empieza a **mostrar un afecto evidente por un objeto concreto hasta el punto de que no se siente seguro si no duerme o juega con él todos los días.** Generalmente se trata de un juguete (peluche, muñeco), pero muchos niños eligen como objeto de consuelo un pañuelo, un trozo de tela e incluso un calcetín.

# Los cuidados...

### PROBLEMAS DE VISTA

No son fáciles de detectar a esta edad, pero hay que consultar al oculista si tiene con frecuencia los ojos llorosos, le duele la cabeza o presenta continuamente secreciones en párpados y pestañas. Pueden ser muchos los motivos que los generan.

### FRUTA Y ZUMO: NO SON LO MISMO

Tomar un zumo, aunque sea recién exprimido, no sustituye a la fruta entera, que siempre es la mejor opción porque, al exprimirla, se pierden muchas de sus propiedades, como la fibra y las vitaminas.

### ATRACCIÓN POR EL AGUA

En este momento el agua ejerce un efecto casi hipnótico sobre él, así que no hay que perderlo de vista cuando haya piscinas, lagos, ríos o cualquier otra superficie acuática cerca.

"siempre hay niños **cerca...**"

### CONTACTOS SOCIALES

Aunque no será hasta más adelante cuando comparta juegos con otros niños, podemos fomentar su sociabilidad llevándole con frecuencia a parques infantiles e invitando a otros bebés a casa.

### CALMA FRENTE A LAS RABIETAS

Hay que responder ante sus reacciones airadas con tranquilidad, firmeza y sobre todo mucho cariño. Está demostrado que siempre es más efectiva esta actitud que el grito y el castigo.

### COCHE: TEMPERATURA INTERIOR

En invierno hay que evitar los cambios bruscos de temperatura de un ambiente a otro. Durante el invierno en el coche, por ejemplo, lo mejor es poner la calefacción unos 10 minutos antes de meter al niño, para evitar que se enfríe porque los niños tan pequeños enseguida se ponen enfermos.

## 31 Tos, congestión y otros malestares

La tos, síntoma común en la mayoría de las enfermedades infantiles, es un mecanismo que pone en marcha el organismo para despejar las vías aéreas y eliminar la congestión de pecho y garganta. Si tose de manera reiterada, lo mejor es acudir al pediatra para que establezca el tratamiento a seguir.

### REPOSO Y MIMOS

**Los niños acatarrados o con gripe necesitan mucho reposo.** Seguramente se aburrirá de estar mucho tiempo en el mismo sitio, así que se le puede habilitar un espacio en otra zona de la casa en la que esté más distraído y también aumentar la cantidad de mimos y atenciones que se le dan.

### LA HIDRATACIÓN, MUY IMPORTANTE

Cuanto tiene tos o congestión, es muy importante que el niño esté bien hidratado, **ofreciéndole agua y zumos**, excepto el de naranja, ya que este podría producirle molestias si tiene la garganta irritada. También se puede aumentar la cantidad de leche que se le da habitualmente por sus beneficios.

### IDENTIFICAR LOS SÍNTOMAS

- **Alergia**: picores, ojos rojos y llorosos, estornudos, congestión nasal, erupción, diarrea.
- **Bronquiolitis**: vómitos, letargo, secreción nasal, dificultad para respirar.
- **Crup (laringotraqueobronquitis)**: fiebre, irritabilidad, congestión nasal, ronquera, dificultad para respirar y para tragar.
- **Gripe**: garganta irritada, dolor muscular, vómitos, escalofríos, cansancio, mucosidad abundante.
- **Neumonía**: dolor en el pecho, fiebre moderada, sudor, escalofríos, vómitos, fatiga.
- **Resfriado**: garganta irritada, fiebre leve, congestión, estornudos y dolor de cabeza.

## 32 Juegos y desarrollo integral

Camina con soltura y puede ponerse de pie tan solo apoyándose en el suelo. A esta edad demanda juguetes, juegos y actividades que impliquen la participación de todo su cuerpo, no solo de las manos, como hasta ahora, y las zonas infantiles de los parques se ajustan perfectamente a esta necesidad.

## "soy muy activo y no quiero parar..."

### EN EL PARQUE

Los columpios, los toboganes, hacer hoyos en la arena y las bolas de colores son las actividades que más llaman ahora su atención. Las zonas de los parques adaptadas a los niños de esta edad son seguras, pero **siempre hay que vigilarle** porque se puede tropezar, chocar con otro niño, comer arena, resbalar...

### CON AGUA Y ARENA

**La arena es un medio estupendo para que desarrolle sus habilidades**, y se le puede ayudar a sacarle todo el partido enseñándole algunas actividades como alisar la arena en el cubo aplanándola con la mano; trasvasarla desde el cubo a distintos recipientes; humedecerla y mostrarle cómo manejarla en forma de barro o hacer dibujos sobre la arena mojada. Los areneros de los parques son idóneos para su edad.

### DESTREZAS CON RITMO

A esta edad ya puede aprender a seguir las pautas cuando se le marca un ritmo. Una buena actividad para practicar es poner una **canción infantil** (ya que ofrece las repeticiones musicales que tanto gustan a los pequeños) y colocarse enfrente del niño, con una mesa pequeña o taburete en medio, dando palmadas alternativamente con la mano derecha y la izquierda. Al principio realizará las palmadas con ambas manos a la vez, pero poco a poco las irá alternando, siguiendo el ritmo. Primero golpeará la superficie de la mesa con una mano y después con la otra, siguiendo el ritmo de la canción.

# con 16 meses...

Todo lo que ocurre y lo que ve a su alrededor le atrae y lo quiere para él, así que hay que empezar a enseñarle con qué puede jugar y con qué no ha de hacerlo. Para ello, cuando vaya a agarrar un objeto que no debe, lo mejor es decirle «no», quitar rápidamente el objeto de su campo visual, ponerlo en un lugar seguro e, inmediatamente, ofrecerle una alternativa para jugar.

## Imaginación al poder

Los juguetes «convencionales» pasan ahora a un segundo plano, ya que son **los objetos cotidianos** (cajas, cubos de plástico, determinados adornos...) los que **centran su atención y a los que da los usos más sorprendentes y originales**: como sombreros, tambores, o simplemente para guardarlos en el cajón de los juguetes. Está en un momento en el que su imaginación se dispara.

## Gusto por las alturas

Una vez que camina y ya domina la técnica, el niño empieza a **mostrar interés por observar su realidad desde un punto de vista «más elevado»**. Por eso, sofás, sillas, banquetas y demás mobiliario que le permitan subirse se convierten en su principal objetivo.

**Reforzar la vigilancia en todo aquello a lo que se pueda subir**: cajoneras abiertas (puede usarlas como escalones); sillas que facilitan el acceso a muebles altos y estanterías que no están bien fijadas a la pared.

## Piernas fuertes y robustas

**Sorprende la rapidez con la que es capaz de trepar**. Esto es debido al nivel de desarrollo que ha alcanzado la musculatura de sus piernas. Para reforzarla y también para relajarla del esfuerzo al que somete diariamente a esta parte de su cuerpo, va muy bien darle un masaje, acariciando las piernas con movimientos circulares, suaves y ascendentes.

### MEDICAMENTOS: LA DOSIS JUSTA

Aunque en los prospectos del paracetamol y el ibuprofeno (los dos fármacos que se dan más habitualmente a los bebés) figura la dosis según la edad, lo correcto es calcularla en función del peso.

### IRRITACIÓN

Cuando está acatarrado es habitual que se le irrite la nariz. Para aliviarle se le puede aplicar una ligera capa de vaselina, para hidratar la piel.

### PRONUNCIACIÓN ADULTA

Aunque tenga ahora una graciosa lengua de trapo no hay que responderle en el mismo tono, sino hablarle de forma correcta. Es la mejor manera de enseñarle nuevas palabras y mejorar su pronunciación.

### MENÚ FAMILIAR

Ya puede comer pan, pasta, cereales, arroz, productos lácteos y los mismos alimentos que el resto de la familia, así que, desde su trona, debe participar en las comidas diarias.

"me gusta descubrir juguetes nuevos..."

### ROTACIÓN DE JUGUETES

Su memoria es a corto plazo, así que es buena idea quitar de la circulación algunos de sus juguetes y sustituirlos por otros que despierten su interés e introduzcan un toque de novedad en su rutina. Enseguida se entusiasmará con los juguetes nuevos.

### EL ARTE DE ROMPER

Ofrecerle revistas viejas: primero las observará para después pasar a romperlas. Esto le permite desarrollar su destreza manual.

### TISANA DE REGALIZ

Un remedio natural para el dolor de garganta consiste en preparar una decocción con raíces de regaliz y dos hojas de laurel en un litro de agua; llevarla a ebullición 5 minutos y, cuando enfríe, dársela como tisana varias veces al día, endulzada con un poco de miel. Es un remedio natural para la irritación de garganta.

# con 16 meses... salud comida ✓sueño ✓psicomotricidad

## 33 Frente a los miedos, seguridad

Muchos de los típicos miedos infantiles aparecen ahora. Los más habituales son los temores nocturnos y la ansiedad cuando su madre sale de su campo de visión. Muchos niños de esta edad comienzan a desarrollar un rechazo a los extraños. Todas las actividades que refuercen su seguridad le ayudarán en estas situaciones.

### PRÍNCIPES Y PRINCESAS

Hay evidencias de que los cuentos de hadas, príncipes y demás **ayudan a los niños a hacer frente a sus temores**. El hecho de trasladarse mentalmente a las situaciones que narran estas historias le proporciona una nueva perspectiva de las cosas y le lleva a explorar sus emociones (sobre todo sus miedos e inseguridades) y a mejorar sus relaciones con los demás.

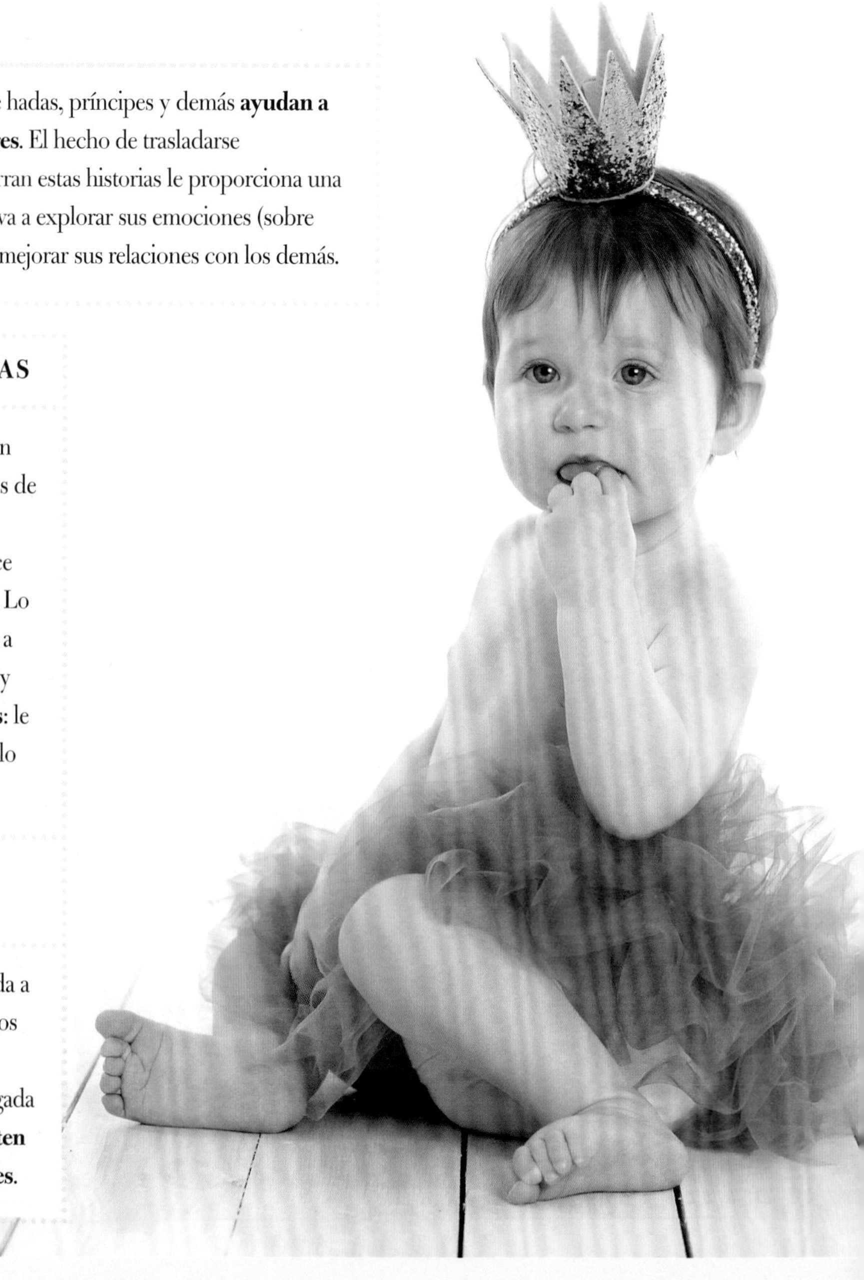

### UN RATO TODOS LOS DÍAS

Los mejores momentos para leerle un cuento son después de comer y antes de dormir, aunque la lectura es eficaz a cualquier hora, siempre que se realice en un ambiente tranquilo y relajado. Lo importante es que se le lean cuentos a diario durante unos pocos minutos, y que **sean los mismos todos los días**: le encanta la repetición y anticiparse a lo que va a pasar.

### LOS BENEFICIOS DEL ESCONDITE

Muy recomendables para que aprenda a controlar sus emociones son los juegos que implican suspense, como el escondite; suponen una vivencia cargada de intriga y curiosidad que **le permiten regular la intensidad de sus temores**.

# Guíale en su crecimiento...

## 34 Habilidades motoras finas

Los movimientos pequeños del pulgar, los dedos, las manos y las muñecas constituyen las habilidades motoras finas, que se desarrollan entre 1 y 3 años y se entrenan mediante actividades manuales. En esta etapa dichas actividades se logran a través de los juegos para que el pequeño se divierta y aguante un buen rato realizándolas. Juego y crecimiento se dan la mano.

"uso muy bien mis manitas..."

### CUBOS Y PELOTAS DE COLORES

Para que sus manos adquieran agilidad, nada como mezclar varios cubos y pelotas pequeñas y pedirle que los meta en un cesto uno a uno. Tendrá que ir **adaptando sus dedos a las dintintas formas de estos objetos**. Eso mejorará su habilidad motora fina y su adaptación visual a cada uno de los objetos. Con un sencillo y entretenido juego practicará una actividad imprescindible para lograr un desarrollo psicomotor excelente. Los juegos son divertidos y realmente muy útiles.

Los **juguetes** más adecuados en este momento son **aquellos brillantes, llenos de colorido y que hacen mucho ruido** (cuanto más ruidosos, mejor), características todas estas que le ayudan a potenciar su imaginación al interactuar con ellos de una manera divertida.

### BRILLOS Y SONIDOS

### PINTURA DE DEDOS

Es el momento de iniciarle en las pinturas de dedos y las ceras de colores. **Para incentivar su creatividad, ofrecerle piezas grandes de papel** (los pliegos de cartulina son la mejor opción) y dejar que dé rienda suelta a sus dotes artísticas. **Pintar con los dedos supone el mejor entrenamiento para desarrollar sus habilidades motoras finas** y empezar a practicar la técnica del dibujo (fundamental en el desarrollo infantil) y a familiarizarse con todos los colores.

# con 17 meses...

El sentido de pertenencia que desarrolla respecto a sus cosas y afectos se alterna con las primeras experiencias de socialización, que se traducen en unos tímidos intentos de compartir sus juguetes cuando está en el parque o en contacto con otros niños, algo que le cuesta bastante porque a esta edad considera sus objetos como una extensión de sí mismo. Prestar y pedir prestado forma parte de su aprendizaje como ser social.

## Pequeñas frustraciones

**Es normal que arroje los juguetes al suelo cuando está enfadado, ya que aún no es capaz de manejar sus emociones.** Este gesto, los gritos de protesta cuando se le mete en la cuna o la reticencia a abrir la boca al comer son las primeras manifestaciones de una rebeldía que va a aumentar en las semanas siguientes. No hay que regañarle y sí tener paciencia.

## Iguales y distintos

Su capacidad de concentración es cada vez mayor, pasa mucho tiempo jugando solo y le molesta que le interrumpan cuando lo está haciendo. **Su juego preferido ahora es la clasificación de objetos y juguetes por formas y por colores**, ya que distingue las similitudes y las diferencias. Se muestra **reticente a compartir sus juguetes**, pues tiene muy desarrollado el instinto de posesión.

## Conversaciones activas

Su habilidad de expresión se activa en estos momentos y hay **algunos que son auténticos charlatanes a esta edad**, aunque aún siguen pronunciando bien solo algunas palabras sueltas. Es importante dejarle «hablar» y repetir las palabras que usa con más frecuencia para que aprenda cuál es la pronunciación correcta.

# Los cuidados...

### EN EL AVIÓN

Si se viaja con el niño en avión hay que hacerle tragar agua o comida a menudo (ofreciéndole el biberón o el chupete) para evitar que el despegue y el aterrizaje le produzcan dolor de oídos.

### MEJOR SIN SAL

No se debe añadir sal al puré para hacerlo más apetecible (los niños prefieren los alimentos más insípidos que los adultos). El exceso de sal puede sentar las bases de una hipertensión arterial futura.

### FOGONES SEGUROS

La cocina es la estancia que más despierta su curiosidad, por lo que hay que tener precauciones como poner las ollas y sartenes con los mangos hacia el interior.

### ADIÓS AL CHUPETE

No hay que obligarle a dejar el chupete: cada niño lo hace a su manera, pero siempre hay que celebrarlo cuando lo consiga, para que lo interprete como una hazaña personal.

## "soy capaz de ayudar en casa..."

### ESPÍRITU DE COLABORACIÓN

Se le puede pedir que nos ayude con tareas domésticas o a empujar la sillita o quitarse los calcetines, ya que ello refuerza su autonomía y hace que se sienta importante dentro de la familia. Se sentirá mayor con estas pequeñas colaboraciones en casa.

### EL HUMIDIFICADOR

Instalar un humidificador en su habitación puede suponer un gran alivio cuando el niño tiene tos, ya que el vapor le ayuda a respirar mejor y a eliminar las secreciones, además de evitar que se reseque el ambiente.

### JUGANDO A LAS HUELLAS

Cuando ya domina la pintura de manos, jugar con él a impregnar en ella las manos y los pies y ofrecerle una superficie en la que puede imprimir sus huellas. Ver el resultado de su obra artística le resulta enormemente gratificante.

## 35 Alimentación: sabrosa y variada

Hay niños que tienen muy buen apetito y a los que les encanta probar nuevos sabores, mientras que otros son reticentes a las innovaciones y se muestran inapetentes y perezosos, por lo que hay que esforzarse en hacerles los menús más apetecibles. Hay que sentar las bases de una alimentación sana y equilibrada. Más adelante y poco a poco se ofrecerán nuevos sabores y texturas.

### EDUCAR EL GUSTO

Los expertos recomiendan que **al finalizar el primer año** de vida el niño haya tenido la oportunidad de probar y conocer los cuatro sabores básicos de los alimentos: **dulce, amargo, ácido y salado**, primero por separado y luego mezclados entre sí.

### EL POSTRE, UN PLATO MÁS

Suele ser el plato más apetecible para el niño, pero **no hay que utilizarlo como premio o castigo** ni tampoco como objeto de negociación. Hay que **integrarlo en el resto del menú** y aprovechar su aceptación positiva por parte del niño para introducir a través de él nuevos sabores y texturas que después se harán extensivas a los demás alimentos.

"disfruto comiendo fruta variada..."

### MENÚS MÁS ATRACTIVOS

- **Jugar con los colores y las texturas**. Las verduras son muy versátiles en este sentido.
- **El menaje puede ayudar**. Llegar al fondo de un plato en el que está dibujado un personaje que le gusta es un buen aliciente para acabar el puré.
- **La fruta con formas**. Gracias a un cortapastas específico o presentada a modo de brocheta o macedonia para que le resulte más atractiva.
- **Queso parmesano rallado**. Es un truco para aderezar con éxito los purés menos apetecibles. Es el queso que contiene más calcio y proteínas.

## 36 El pulgar y el chupete

Los niños de esta edad buscan constantemente estrategias para sentirse seguros y a salvo. Una de ellas es el objeto personal favorito y la otra es chuparse el dedo gordo (o el chupete), un gesto que los expertos denominan succión no nutritiva y que es una de esas peculiaridades que aún conserva de su etapa fetal. Dependerá del niño que abandone este gesto de manera más o menos rápida.

### LA OPCIÓN DEL CHUPETE

El efecto que el chupete tiene sobre el niño es similar al del dedo. Recurrir a él o la forma de usarlo es algo que depende de cada bebé: **algunos solo lo necesitan para dormir; otros no pueden pasar sin él en el momento de la dentición y a la mayoría les calma cuando lloran**. Los expertos recomiendan prescindir de él cuando el niño ya ha empezado a caminar.

### SIN PRESIONES

**La retirada del chupete debe hacerse de forma natural**, con trucos que consigan deshabituarle poco a poco (aunque hay niños que lo dejan de un día para otro), eliminándolo primero a la hora de la siesta; para después, hacerlo por la noche...

### EFECTO CALMANTE

Llevarse el **dedo pulgar a la boca y succionarlo ejerce en el niño un efecto calmante y tranquilizador**, de ahí que sea habitual cuando se aburre, se siente inseguro o tiene sueño. Se corre el peligro de que si esta costumbre se mantiene en el tiempo, **pueda afectar a la dentadura futura** y aumentar el riesgo de infección (las manos están en contacto continuo con agentes contaminantes).

"como ya camino, dejo el chupete..."

### TRUCOS PARA DEJARLO

- Un nuevo juguete que le distraiga
- Una tirita en el dedo gordo.
- Regalar el chupete a Papa Noel, por ejemplo.

# de 18 a 23 meses...

Su desarrollo:

- Pasa de bebé a niño
- Imita y recrea situaciones
- Empieza a hablar de lo «mío»
- Se muestra muy testarudo
- Es muy autónomo y mimoso a la vez

El bebé de hace unas semanas da paso a un niño independiente, impulsivo e incluso terco y respondón. Esta cabezonería («la adolescencia de los primeros años», según algunos) es necesaria para sentar las bases de su personalidad.

## Actor principal

**Empieza a jugar a «interpretar»**: por ejemplo, poner un vaso (sin agua) en la boca de sus muñecos para que «beban». Al final de ese periodo es capaz de reproducir escenas completas (bañar, dar de comer y preparar a sus muñecos para ir a la cama). **Le encanta sentirse protagonista**, participar en las mismas actividades que los otros miembros de su familia **y recibir halagos y felicitaciones por ello.**

## Él solito... pero con mimos

Hace alarde de su autonomía en todos sus gestos y acciones, y **reivindica su independencia** de tal forma y con tal rotundidad que en ocasiones se convierte en un pequeño dictador que, sin embargo, **demanda continuamente besos y abrazos** por parte de su madre.

## Un cabezota

Hasta el niño más dulce y dócil empieza a mostrarse obstinado, negativo e incluso rebelde en determinadas situaciones. **Se trata de actitudes que le ayudan a definir su autonomía y a sentar las bases de su personalidad.** Por suerte, es una etapa pasajera.

## El momento «mío»

Al final de este periodo **maneja algunos pronombres**, y el que **tiene muy claro el significado de «mío».** Lo emplea con vehemencia y lo aplica no solo a aquello que realmente le pertenece, sino también a los objetos de otros niños que llaman su atención.

## Bienvenido, niño/a

**Empieza a perder la apariencia típica de bebé**: tanto por su nivel de desarrollo como por la intensa actividad física que ahora realiza, ha abandonado las redondeces características de los primeros meses y **su cuerpo luce más largo y estilizado**. La cabeza, sin embargo, sigue siendo grande en relación al resto del cuerpo. **Camina perfectamente sin ayuda**, sube y baja de alturas pequeñas con una facilidad pasmosa y todos sus movimientos están coordinados.

# de 18 a 23 meses...

Aunque el desarrollo de todos los niños de esta edad se ajusta más o menos a un patrón, cada uno adquiere sus habilidades a su propio ritmo. Así, mientras algunos se desmarcan y despuntan en sus capacidades verbales, otros alcanzan un mayor desarrollo en su evolución motora y sensorial, y algunos (los menos) comienzan a dominar con maestría las habilidades sociales en sus relaciones con otros niños.

Todos coinciden en hacer gala de una gran autonomía y de buenas dosis de mal genio. **Las actitudes rebeldes y obstinadas son frecuentes** y tienen un único objetivo: salirse con la suya. Aunque sus negativas (maneja el «no» con determinación en cuanto tiene ocasión) pueden interpretarse como un desafío, esa no es su intención, sino que se trata de reafirmar su personalidad y de poner en práctica ese don que acaba de descubrir: conseguir que le hagan caso.

Como aún no tiene el control de sus emociones, esta actitud puede desembocar en rabietas y berrinches, frente a los que hay que tener comprensión y paciencia, **dejándole ganar sus pequeñas batallas** (merendar galletas en vez de fruta, dormir con un pijama que ya está viejo...) pero dejándole claros los límites y poniendo especial énfasis en aquellas situaciones en las que su salud o seguridad estén en peligro.

## ACCIÓN CONTINUA

**La autonomía que ha alcanzado se manifiesta en todos los ámbitos**. Es capaz de quitarse algunas prendas de vestir, como calcetines, sombreros y guantes, y de descalzarse solo (si los zapatos no llevan cordones). También maneja la cuchara y come sin ayuda; intenta lavarse las manos y los dientes por sí mismo; sabe dónde están sus juguetes y busca entre todos aquel con el que quiere jugar...

Desde el punto de vista de su psicomotricidad, el repertorio de habilidades que exhibe explica por qué no para quieto ni un minuto: intenta saltar sobre ambos pies a la vez; comienza a dibujar sus primeros garabatos; pasa las páginas de los libros de dos en dos; arrastra juguetes con ruedas; sube y baja escaleras cada vez con más habilidad; sortea objetos con facilidad y realiza los primeros intentos de dar patadas a una pelota. Por otro lado, el nivel de **desarrollo de sus habilidades intelectuales** le permite resolver rompecabezas simples y descubrir los mecanismos que ponen en funcionamiento las cosas y objetos, de ahí que los juguetes que incluyan botones que suenan al apretar y los que permiten ser armados y desarmados una y otra vez capten ahora su atención.

## PRIMERAS DECISIONES

La autonomía también queda evidente en su **capacidad de decisión**, un aspecto de su desarrollo que acaba de descubrir y que conviene fomentar ofreciéndole opciones cada vez que queramos que haga algo: darle a elegir entre dos frutas a la hora del postre; permitir que escoja entre sus juguetes cuáles quiere llevarse a la bañera (si es de los que no le gusta el baño); o animarle a señalar un cuento «de propina» que quiere que se le lea en las noches en las que está reticente a irse a la cama. Esta es una forma de guiar su conducta permitiéndole decidir, lo que refuerza así su autonomía y autoestima.

## SENTIRSE QUERIDO

**A pesar de esta mayor independencia, el niño necesita más afecto por parte de sus padres**: los besos, mimos, abrazos y carantoñas son el soporte que necesita para sentirse seguro en esa vorágine de cambios y situaciones nuevas a las que se está enfrentando y que, aunque no lo parezca, aumenta sus temores e inseguridades. De hecho, muchos niños de esta edad comienzan a despertarse por la noche y a desarrollar miedos por cosas y objetos. Las frases positivas, los aplausos y alabanzas ante cada logro y ofrecerle mimos cuando los necesite le ayudarán a sentirse seguro y confiado.

**LOGROS VERBALES**

Las habilidades comunicativas alcanzan un intenso desarrollo en esta etapa. La mayoría son capaces de llevar a cabo los siguientes logros:

- **Palabras nuevas**. Aprende unas diez nuevas palabras al día.
- **Frases cortas**. Forma frases con sentido con tres y cuatro palabras.
- **Canciones**. Canta canciones sencillas (repite los estribillos).
- **Órdenes**. Entiende instrucciones simples («cierra la puerta», «coge el osito»).
- **Pronombres**. Empieza a utilizar los pronombres.
- **Entonación**. Repite constantemente palabras que llaman su atención, añadiéndoles su propia entonación.
- **Nombres propios**. Reconoce los nombres de las personas mas cercanas.
- **Respuestas**. Puede responder a algunas preguntas sencillas del tipo «¿cuántos años tienes?».
- **Posesión y negativa**. Utiliza con frecuencia dos palabras: «mío» y «no».
- **Cuerpo**. Reconoce las partes del cuerpo y las señala correctamente.

# con 18 meses... ✓salud ✓comida sueño psicomotricidad

Ya se percibe a sí mismo como un ser autónomo, independiente de su madre y de su entorno. Empieza a adoptar fuertes vínculos de pertenencia con sus cosas y afectos (la palabra «mío» es una constante en su vocabulario) y conoce perfectamente las partes de su cuerpo, identificándolas y señalándolas sin equivocarse cuando se le pregunta por ellas. El aprendizaje es continuo y cada día nos sorprende.

## Revisión médica

La visita al pediatra a los 18 meses **es importante ya que en ella el especialista comprueba el peso y talla**, confirma que el nivel de desarrollo es el adecuado y pone al día las vacunas. Hay que **comentarle las dudas respecto a la alimentación** (muchos niños se muestran ahora inapetentes) y saber qué fármacos darle cuando esté enfermo, entre otros temas.

Debemos prestar especial atención y consultar al pediatra si el niño aún no camina, no sabe al menos seis palabras y no aprende otras nuevas, no imita lo que hacen las personas de su entorno, no muestra inquietud cuando su madre se va o si pierde habilidades ya adquiridas.

## Expresión oral

Su pronunciación es cada vez mejor y su vocabulario se amplía (utiliza entre 20 y 50 palabras básicas). **Expresa frases completas y con sentido**: «No quiero», «no gusta», «dámelo»...), por lo que cada vez es más fácil saber qué quiere, qué le duele, etc. La comunicación se ve mejorada a partir de esta edad.

## Derroche de afecto

Muestra abiertamente su afecto, pasa los brazos alrededor del cuello de su madre, apoya su cabeza en su hombro reclamando mimos y da besos (lo hace siempre con los labios fruncidos). **Esta mayor afectividad va acompañada de un sentimiento de apego muy intenso a sus cosas y**, sobre todo, **a su madre**; y puede intensificar la ansiedad por la separación o hacer que aparezca en este momento.

# Los cuidados...

### MACEDONIA DE COLORES

Jugar con el color para incorporar nuevos alimentos. Moras, arándanos, uvas (siempre, sin pepitas) y kiwi resultan muy atractivos a la vista, un buen punto de partida para que coma la fruta con ganas.

### TRADUCCIÓN SIMULTÁNEA

Cuando pronuncie mal una palabra, hay que hacerle comprender que le hemos entendido. Un ejemplo: si señala su pelota y repite «pota, pota», contestarle: «Sí, allí está tu pelota». Así aprenderá cómo se debe decir.

## "subo y bajo, subo y bajo, subo y bajo..."

### ENTRENAMIENTO CONTINUO

Es capaz de subirse a sillas pequeñas sin ayuda y subir y bajar escaleras cogido de la mano, una actividad que le entusiasma y que podemos practicar con él durante un rato todos los días. Con vigilancia constante se evitará el riesgo que implica.

### ¿DÓNDE ESTÁ...?

Como entiende prácticamente todo lo que se le dice, es buen momento para el juego de preguntarle dónde están determinadas zonas de su cuerpo: la punta de la nariz, el dedo gordo del pie, la cabeza, la rodilla...

### A SALVO DE LÁMPARAS

Para minimizar riesgos y accidentes en casa, sustituir las lámparas de pie o los puntos de luz de mesa por apliques, ya que en sus continuos paseos por la casa puede tropezar o volcarlas tirando de ellas.

### CONTAR OVEJITAS

Un truco para ayudarle a conciliar el sueño es el clásico de contar ovejitas (u otro animal que le guste), con voz suave y mientras se le da un masaje en sus manos, estirando uno a uno sus dedos. Poco a poco se irá relajando hasta dormirse.

### TORRES MÁS ALTAS

Cuando juegue con los cubos, animarle a construir torres con ellos. A los 18 meses ya puede poner tres cubos perfectamente uno encima de otro, una cifra que pronto llegará a los 5-6. Pero sigue disfrutando más cuando derriba las torres y ve caer las piezas diseminadas por el suelo.

# con 19 meses... ✓salud ✓comida sueño ✓psicomotricidad

Sus dotes de observación se disparan y no hay cosa que más le intrigue que descubrir qué es lo que hay detrás de las puertas (los armarios se convierten en su principal objetivo), por lo que de nuevo se debe comprobar la seguridad de su entorno. Sus patrones de sueño pueden empezar a verse alterados y son frecuentes en esta etapa los despertares nocturnos por miedo y cierta ansiedad.

## Pelo y otras manías

Muchos niños de esta edad **no soportan que les laven el pelo**, un hábito que se puede convertir en una odisea. Hay protectores específicos que se colocan en la frente, evitando que el agua caiga sobre su cara (que es lo que más les molesta). Para hacer más llevadero el lavado de pelo, poner un espejo de plástico en el extremo de la bañera y, cuando el niño mire, hacer formas con la espuma del champú, para que capte su atención y pierda el miedo.

Otro aspecto frente al que muestra su desacuerdo es a **dormir con la luz apagada**, una actitud que está causada por el **miedo a la oscuridad**.

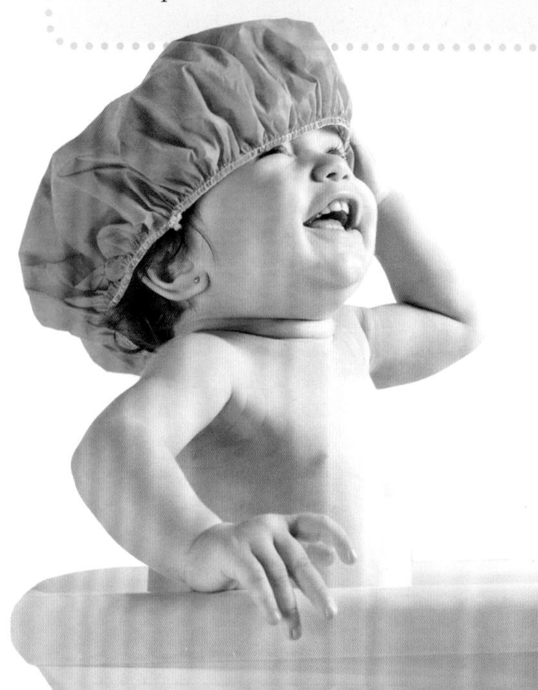

## Dotes de detective

**Se da cuenta enseguida cuando uno de sus juguetes está roto, si le falta un ojo a su peluche preferido o si se ha cambiado de lugar algún elemento** de su habitación o del lugar en el que juega habitualmente. También detecta con rapidez las manchas (en su ropa, en la alfombra, en el suelo) y manifiesta estos hallazgos con grandes aspavientos, señalando el desperfecto con el dedo con cara de horror como si fuera algo terrible.

## El sentido del humor

**Ríe abiertamente cuando algo le hace gracia**: si se le hacen muecas, cuando ve que otra persona se tropieza o hace ruidos graciosos, si sus hermanos u otros niños bailan o «hacen el tonto» delante de él o incluso si descubre un dibujo o imagen que le provoca la hilaridad.

### HIGIENE: EN SU JUSTA MEDIDA

Se ha demostrado que una limpieza y desinfección excesivas están relacionadas con un mayor riesgo de alergias, ya que impide que el sistema inmune del niño «se entrene» con virus y bacterias.

### PRACTICANDO CON LA CUCHARA

Hay que ir acostumbrándole a agarrar la cuchara adecuadamente (entre los dedos pulgar, índice y medio) tanto para comer mejor como para entrenarse en el futuro en el correcto uso del tenedor.

### PRIMEROS AUXILIOS

Los golpes y las heridas en las rodillas son muy frecuentes ahora. Hay que limpiarlas con agua y jabón, para evitar que se infecten, y siempre lavarse las manos antes de curarle.

## "jugando aprendo a ordenar..."

### JUGAR Y RECOGER

Para iniciarle en el orden, cuando acabe de jugar, se le acerca una caja diciéndole: «Ahora toca recoger, vamos a meter los juguetes en la caja». Podemos meter algunos juguetes, animándole a que nos imite. Parecerá un juego con el que aprenderá a ordenar.

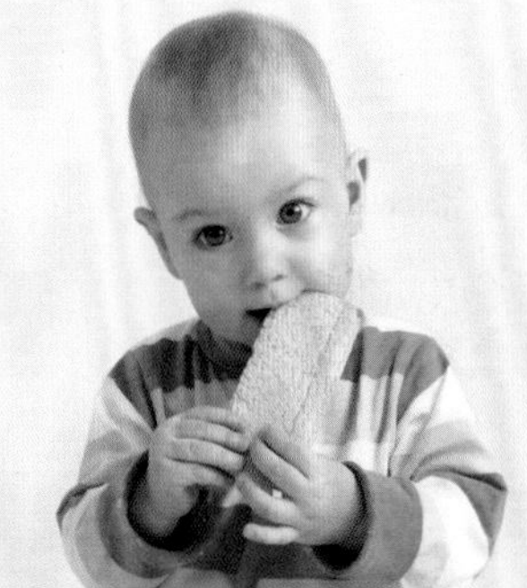

### AL RICO PAN

Los pediatras recomiendan ofrecerle pan en vez de galletas, más ricas en grasas y azúcares. Los niños prefieren el pan de barra al de molde.

### PEQUEÑO TEATRO

Jugar con las manos al cantar o leer un cuento para que aprenda diferentes movimientos a través de la imitación.

### VITAMINAS ESENCIALES

La vitamina A es fundamental para su vista y el buen estado de su piel; la D, para sus huesos (hay que exponerle al sol para que pueda sintetizarla); la C es clave en su crecimiento y, además, le ayuda en la síntesis de hierro, un mineral muy importante. Por eso su dieta debe ser muy variada.

# con 20 meses... ✓salud ✓comida ✓sueño ✓psicomotricidad

El nivel de desarrollo y autonomía que ha alcanzado propicia que salga de su pequeño mundo de juegos y rutinas y quiera empezar a formar parte activa de la dinámica familiar, asumiendo además el protagonismo en todas las situaciones. Por eso, no se conforma con participar, sino que pide constantemente un aplauso y un reconocimiento que no hay que escatimar para que no se sienta desilusionado.

## Saber esperar

El niño de esta edad **es muy impulsivo e impaciente; cuando quiere algo, lo quiere ya y si no es así, lo reclama con gritos, ruidos, llantos y lanzamiento de objetos**. Es por tanto el momento de empezar a entrenarle en la práctica de la paciencia, diciéndole claramente «ahora no, dentro de un rato», y evitando darle por sistema lo que pide inmediatamente.

## «Yo solito»

Le encanta **hacer las cosas por sí mismo y alardear de ello**. También **le gusta ayudar y participar en las actividades que realiza su madre** o la persona encargada de cuidarle. Siempre que sea posible, hay que dejarlo participar creando para él funciones a medida.

## Pequeñas rebeldías

Los niños de esta edad están acostumbrados a **hacer las cosas «a su manera»**: ir donde quieren, comer lo que les gusta, jugar a lo que les apetece... **Y si no lo consiguen, pueden ponerse bastante impertinentes,** gritando, tirando cosas y rebelándose si se les intenta calmar. **Contar hasta 10, respirar hondo y tener paciencia** son las mejores estrategias frente a estas actitudes desafiantes.

Hay que dejarle «ganar» a veces (si no se quiere poner determinada prenda de ropa, por ejemplo), y mostrarse inflexible en cuestiones que afectan a seguridad, dejándole muy claro cuáles no son negociables bajo ningún concepto.

### EVITAR CONTAGIOS

Para evitar que los hermanos contagien al bebé cuando están enfermos hay que intentar que no le besen ni respiren cerca de su cara y extremar gestos como el constante lavado de las manos.

### ACELGAS Y ESPINACAS

Ambas verduras aportan nutrientes importantes para su desarrollo, pero no hay que superar una ración al día ya que son ricas en nitratos, sustancias que a niveles elevados pueden resultar tóxicas.

### BIBERÓN: SOLO PARA BEBER

No hay que dejarle juguetear con el biberón si no está bebiendo, ya que el contacto prolongado con los azúcares de la leche predisponen a la aparición de caries (de hecho se llaman caries del biberón).

### GAFAS DE SOL

Si las acepta, debe usar gafas de sol. Estas deben proteger del 99 al 100% de los rayos UVA y UVB, y en la etiqueta ha de figurar el sello de las autoridades y la categoría de su filtro.

## "¡qué gusto da ir descalzo!"

### DESCALZO POR EL CÉSPED

Andar descalzo favorece un desarrollo equilibrado de la musculatura y la psicomotricidad, mejora su postura, evita trastornos psicomotores y minimiza el riesgo de sufrir esguinces. Es una excelente actividad.

### DESCANSO LIGERO

Comer demasiado dificulta que el niño concilie el sueño a la hora de la siesta. Lo mejor para él es propiciar que pase una media hora haciendo una actividad tranquila entre la comida y la siesta.

### REFUGIO SECRETO

Podemos fabricarle un rincón personal con una caja grande de cartón fuerte, que él puede decorar, y animarle a que la utilice a modo de refugio, ya que le encanta esconderse.

# con 21 meses...

salud · comida · ✓ sueño · ✓ psicomotricidad

Su interés se centra ahora sobre todo en el funcionamiento de las cosas, de ahí su afición a abrir y cerrar y llenar y vaciar cajones, armarios, cajas y demás contenedores con el objetivo de conocer qué se esconde en ellos. Los paseos y las tardes en el parque también son oportunidades para descubrir escondites y recovecos, así que no hay que perderlo de vista ni un minuto porque irá de un lado a otro con rapidez.

## Lidiar con las pesadillas

Es frecuente que llore, se inquiete y se despierte a mitad de la noche. **Sus jornadas son muy activas y estimulantes, así que es normal que sus sueños sean igual de intensos.** La mejor forma de calmarle es darle un masaje en la espalda, sujetarlo en brazos o cantarle, sin encender la luz. No hay que caer en la tentación de meterlo en la cama de los padres porque puede acostumbrarse.

## Iniciación a los números

Su **capacidad numérica** (un componente fundamental de sus habilidades matemáticas futuras) **está en pleno desarrollo**. Una buena forma de fomentarla es **animarle a alinear objetos cotidianos y, luego, compararlos entre sí**, agrupando los que más se parezcan. Las canciones y rimas que implican contar o los cubos que están numerados son otras opciones.

## Miedos típicos

Puede producirse la aparición o el repunte de alguno de los miedos **más habituales a esta edad: a la oscuridad, a los perros, al agua, a los extraños y a los insectos.** Leerle cuentos o historias en los que el objeto de su temor es el «bueno» es una estrategia que da resultados excelentes.

# Los cuidados...

### SALSAS CON SORPRESA

Las verduras son el caballo de batalla para la mayoría de los niños. Introducirlas en las recetas de salsas para acompañar a otros alimentos (pasta, por ejemplo) es una estrategia con buenos resultados.

### EL BAÑADOR ADECUADO

Más que en el diseño, hay que fijarse al comprarle bañadores que sean de su talla, de tejidos como el algodón y que se sequen rápidamente. Hay que cambiarlo por uno seco cada vez que salga del agua para evitar que se enfríe.

### PASEOS CON LECCIÓN

Para fomentar su interés por las cosas, sacar partido a los paseos animándole a detectar cosas y personas que se encuentran a distancia y retándole («¿has visto una nube redonda en el cielo?»).

### SORBETES

Una buena merienda en verano son los sorbetes: tienen menos grasa y resultan más ligeros e igual de refrescantes que los helados (si no es alérgico o intolerante).

## "aprendo a lavarme las manos..."

### SUCIO, LIMPIO

Para enseñarle a reconocer cuándo debe lavarse, le pedimos que nos enseñe las manos con frecuencia y damos el veredicto («limpias», «sucias»). Cuando tenga la cara manchada, le ponemos delante un espejo y le decimos «sucio, hay que limpiar» para que lo comprenda.

### EL «TERCER GRADO»

Cuando quiera un alimento o bebida, hay que enseñarle a pedirlo a través de preguntas: ¿qué quieres que te dé?, ¿dónde está?, ¿cómo se llama? Y lo mismo cuando desee un juguete concreto.

### MIMOS, QUE NO FALTEN

Los besos, abrazos y carantoñas nunca son perjudiciales. Está demostrado que los niños que no reciben afecto tienen un cerebro entre un 20 y un 30% más pequeño que los que sí tienen cubierta ampliamente su necesidad de afecto.

# con 22 meses... ✓salud ✓comida ✓sueño ✓psicomotricidad

Al igual que ocurre con la rutina del sueño, puede que en este momento también empiece a manifestar cambios en sus hábitos de comida. Lo habitual es que se muestre inapetente o reticente a determinados alimentos, o simplemente que se sacie con pocas cantidades. Hay que tener paciencia y evitar convertir la hora de comer en una batalla campal en la que acabe llorando y sin intención de comer nada.

## Fase antisocial

**La forma de relacionarse con los otros niños no es precisamente amigable: muerde** (ya le han salido prácticamente todos los dientes), **les agarra del pelo, les empuja de manera brusca o les pellizca.** Se niega a compartir sus juguetes, pero no tiene reparos en apoderarse de los de otro niño si le gustan. Esta actitud es una fase clave en el desarrollo de la socialización, por eso hay que fomentar el contacto con otros niños y que no les vea como a auténticos enemigos.

## Suplementos, siempre de la huerta

A no ser que el pediatra prescriba lo contrario, **no hay que recurrir por sistema a suplementos vitamínicos para que el niño tenga más apetito.** Los expertos insisten en afirmar que una dieta sana, equilibrada, variada y en la que estén incluidos todos los grupos de alimentos (aunque coma menos cantidades que antes) asegura el aporte correcto de nutrientes.

## Arrebatos

**Es normal que arroje los juguetes al suelo cuando se siente enfadado**, ya que aún no es capaz de manejar sus emociones y, además, sabe que de esa forma llama la atención de los adultos. Hay que tener paciencia y no regañarle, pero sí enseñarle cómo hay que pedir las cosas para que vaya desterrando esa actitud tan infantil.

# Los cuidados...

### INMERSIONES SIN SUSTOS

Al meter al niño en el mar o la piscina nunca hay que hacerlo de golpe, ya que puede asustarse en exceso. Es preferible hacerlo poco a poco, sin dejar de hablarle y observando cómo reacciona.

### AIRE ACONDICIONADO

Si en la casa hay aire acondicionado, se debe evitar que el niño esté expuesto directamente al chorro de aire y comprobar que la temperatura no sea nunca inferior a los 22 °C porque sería fría.

### PRACTICANDO LOS ANDARES

Podemos enseñarle a caminar de formas distintas: de espaldas, de lado, deprisa, despacio, de puntillas, con los talones... Esto le divierte, estimula su coordinación y refuerza su musculatura.

### SEGURIDAD EN EL BAÑO

El cuarto de baño atrae mucho su atención: agua, botes de colores, un retrete que «se traga» todo... Lo mejor son las alfombras antideslizantes, protectores de grifos y evitar que se quede solo en este lugar.

## "pruebo todos los sabores..."

### AFICIÓN A LA FRUTA

Para familiarizarle con frutas y verduras, ir con él al campo o al mercado, para que vea la variedad de opciones, e implicarle en la preparación: separar las hojas de una lechuga, poner rodajas de pera en un bol...

### SUEÑO SANO

Al margen del número de horas que duerma, debe tener unas rutinas de sueño fijas y constantes. Los niños que siguen unos patrones de sueño desordenados descansan menos y tienen más riesgo de obesidad. Aunque hay niños que no quieren dormir la siesta. Para saber si se puede suprimir o no, hay que ver cómo llega a la hora del baño y de la cena. Si está activo y alegre, significa que ya no necesita esta siesta.

# con 23 meses... ✓salud comida sueño ✓psicomotricidad

Sus movimientos son un poco más lentos y más coordinados que en las semanas anteriores y también empieza a ser más cauto en su comportamiento. Así mismo, su ritmo de desarrollo se ha ralentizado y su cuerpo es cada vez más fibroso y menos graso. La salida de los últimos dientes puede producirle malestar y hacer que esté más mimoso o irascible, por lo que habrá que tenerlo en cuenta.

## Adiós al chupete

Si aún usa chupete, es importante intensificar los intentos para que lo deje (los expertos aconsejan abandonarlo definitivamente antes de los 3 años). **Su uso puede dificultar la pronunciación** (hay que pedirle siempre que se lo quite al hablar). Además, su dentadura está prácticamente completada, por lo que morderá la tetina, con el riesgo de tragarse pequeños fragmentos.

## Respetar sus ritmos

Es muy importante (aunque no siempre resulta fácil) no contagiar al niño el estrés que sufrimos los adultos: **hay que respetar sus tiempos y el ritmo al que hace las cosas** aunque, lógicamente, serán más lentos. Lo importante es que aprenda bien a utilizar la cuchara o a quitarse la ropa; la rapidez con que lo haga ahora no es relevante porque las prisas no son buenas para su desarrollo.

## El momento del muñeco

**Los muñecos cobran ahora una importancia especial porque a través de ellos el niño va a reproducir situaciones cotidianas** que imita (el muñeco se convierte en cierta medida en su «alter ego») y también es una herramienta a través de la cual puede expresar sus sentimientos.

# Los cuidados...

### VESTIDO BAJO EL SOL

En exposiciones prolongadas al sol debe llevar gorros (de ala ancha) y camiseta (de algodón). Está demostrado que el uso de estas prendas puede bloquear hasta el 97% de los rayos UVB, así es que seguir este consejo es una opción muy eficaz.

### PLATO COMBINADO

Añadir nuevas consistencias y texturas combinando frutas o verduras con cereales, arroz cocido, puré de patatas, pasta o germen de trigo. Es una buena opción para que coma alimentos de todos los grupos.

### MUNDO ANIMAL

Si se siente atraído por los animales domésticos o insectos, es muy importante enseñarle a tener precaución para así evitar picaduras o mordeduras.

### DE DOS EN DOS

Pasa las páginas de dos en dos, y debe practicarlo a diario. Los cuentos que contamos son la mejor herramienta para aprender vocabulario.

## "colaboro en las tareas domésticas..."

### PEQUEÑO JARDINERO

Regar las plantas es una actividad ideal: le permite ejercitar la coordinación, le pone en contacto con la naturaleza y, sobre todo, hace que se sienta útil e importante al colaborar con su madre o su padre en el cuidado del jardín.

### NÚMEROS POR TODAS PARTES

Para familiarizarlo con los números hay que incluirlos en su día a día: imanes en la nevera, cuadernos para colorear números, hacer que se fije en carteles o luminosos en los que aparezcan cifras...

### UN CHUPETE CON MAL SABOR

Para que deje el chupete, untar la tetina con sustancias de sabor desagradable (vinagre, pimienta, limón). Otra opción es «regalárselo» a uno de sus personajes preferidos a cambio de un juguete nuevo, o bien cortar el extremo para que deje de gustarle.

# a partir de 24 meses...

Llega su segundo cumpleaños y su vocabulario se amplía y el interés por su entorno le lleva a hacer preguntas constantemente. Esto se debe a su desarrollo cerebral: tiene el 75% de volumen de un cerebro adulto (el 25% crecerá de aquí a que cumpla 18 años).

Su desarrollo le permite llevar **un nivel de actividad frenético**, tanto físico (se sienta, se levanta, corre, se pone en cuclillas, da patadas, vacía cajones, se sube y se baja de superficies.... y muchas veces hace todo esto prácticamente a la vez) como mental (empieza a preguntar el porqué de todas las cosas y ofrece largas parrafadas para, a su manera, explicarse). **Este derroche de energía puede ir acompañado de un menor apetito**, algo totalmente normal, ya que ahora sus intereses están puestos en otras cosas que no son la comida. Mientras no pierda peso y siga creciendo bien no hay motivo para preocuparse. Sí que es importante que **forme parte activa de los horarios de comida familiares**, tanto para compartir este momento (los expertos señalan que comer en familia ayuda a prevenir la obesidad infantil) como para que aprenda que la comida tiene una duración determinada, y que no se puede eternizar (un niño inapetente puede permanecer horas delante del plato sin probar bocado).

Pese a lo continuo de su actividad, empieza a actuar con más cautela que en los meses anteriores, pues comienza a tener claras las principales reglas y normas sobre lo que puede hacer o no. También es capaz de expresar con más claridad sus gustos, deseos, miedos y temores.

## EL AMIGO IMAGINARIO

**La fantasía, la imaginación y la creatividad** están en un punto álgido y juegan un papel importante en su desarrollo. **Es habitual que en este momento tenga «amigos imaginarios»** con los que habla y comparte juegos. Es recomendable prestar atención a las conversaciones que mantiene con este «amigo» y también con sus juguetes e incluso con la mascota familiar, ya que pueden ser muy reveladoras de sus sentimientos y necesidades. También en este momento **inicia el juego simbólico**, en el que entremezcla situaciones reales con imaginarias y donde él es el personaje principal y sus muñecos cobran vida e interpretan distintos roles. Este tipo de juego tiene muchos beneficios para el niño ya que le permite desarrollar el lenguaje, favorece la comprensión y asimilación de su entorno, contribuye a su desarrollo emocional y sienta las bases de lo que será en el futuro el juego colectivo.

## SUEÑO INTERRUMPIDO

A esta edad la mayoría de los niños **duerme una media de 10-12 horas nocturnas**, un tiempo que irá disminuyendo gradualmente a medida que crece. **Es normal que se mueva mucho y cambie de posición mientras duerme** (no es más que el reflejo de la intensa actividad que desarrolla durante el día) **y que hable en sueños**. Son frecuentes los despertares a media noche debido fundamentalmente a la aparición de los miedos nocturnos (un efecto colateral del intenso desarrollo de su imaginación en estos momentos). Las pesadillas y las reticencias a quedarse solo en su habitación, que suelen estar producidas por un repunte en la ansiedad por la separación de la madre, son otras de las causas relacionadas con estos despertares nocturnos, que son pasajeros. Aunque la idea de llevarlo a dormir con nosotros es muy tentadora, la mejor forma de afrontar esta situación es calmarle y conseguir que vuelva a dormirse solo en su cuna o cama.

## DEL PAÑAL AL ORINAL

El hito en este periodo es el control de esfínteres. **Hay señales que indican que está preparado para dejar el pañal**: muestra interés por el orinal o el inodoro; su pañal se mantiene seco durante periodos cada vez más largos de tiempo; empuja de su ropa hacia abajo cuando tiene ganas de ir al baño; protesta cuando su pañal está sucio... Es cuando se pueden poner en marcha estrategias para ayudarle: poner el orinal en un lugar visible; dejarle durante breves periodos de tiempo sin pañal; sentarle varias veces al día en el orinal y, en caso de que los intentos culminen con éxito, alabarle y felicitarle. El proceso de control de esfínteres no se consigue de un día para otro y no es definitivo, sino que lo habitual es que un niño que lleva muchos meses usando el orinal tenga de vez en cuando «fugas», sobre todo por la noche. En estos casos, nunca hay que regañarle, sino que se debe desdramatizar la situación.

# Cuidar **su salud...**

El estado de la salud del bebé ha de ser prioritario para los padres. Se le debe ofrecer el mejor ambiente posible para crecer de manera correcta. Por ejemplo, el hecho de fumar le perjudica seriamente: estudios recientes desvelan que el 79% de los bebés hijos de padres fumadores tienen acumulado más de 1 mg de nicotina en el pelo, niveles que son considerados perjudiciales por los expertos.

## Cuidados básicos

Algunos temas básicos relacionados con la salud de los niños de esta edad son los siguientes:

- **Aerofagia.** Los gases suelen estar detrás del dolor de tripa que ahora puede ser frecuente. Esta mayor aerofagia se debe a que su dieta es más variada y también a que el mayor control de esfínteres favorece que se los «aguante».
- **Bronquiolitis.** En invierno y a principios de primavera es frecuente la bronquiolitis. En el 75% de los casos está producida por el virus VRS. Los síntomas se alivian con hidratación y suero fisiológico (para la congestión nasal).
- **Hidratación.** El hecho de no beber suficiente cantidad de agua puede provocar dolor de cabeza, cansancio o la falta de concentración. Es importante que se hidrate durante todo el día, desde el desayuno (algunos estudios indican que muchos niños empiezan el día parcialmente deshidratados).
- **Vacunas.** Dependiendo de los departamentos competentes de Sanidad de cada país se decide la aplicación de una vacuna de refuerzo. Por ejemplo, una de ellas suele ser la dosis de refuerzo de la vacuna de la varicela un par de años después de la primera dosis. Los expertos insisten en su importancia, ya que reduce significativamente la incidencia de la enfermedad y sus posibles complicaciones.

## El cabello

Su pelo **adquiere volumen** y en algunos niños se riza. Además, **es aún muy fino** y no está bien lubricado, tendiendo a enredarse. Hay sprays específicos para quitar estos nudos y enredones de forma suave, sin tirones.

## Dentición completa

Los últimos caninos y los molares salen a partir de esta edad, **quedando completa la dentición de leche alrededor de los 30 meses.** Aún no domina del todo la masticación, así que hay que vigilar que no se atragante.

# Noches con altibajos...

### AMIGO DE LA OSCURIDAD

Para combatir el miedo a la oscuridad funcionan muy bien los muñecos o pegatinas reflectantes, que no solo le aportan un punto de luz sino que le ayudan a asociar la noche con imágenes positivas.

### DERMATITIS, LA RAZÓN OCULTA

Problemas cutáneos como la dermatitis atópica (afecta al 20% de los niños) pueden ser otra causa de que deje de dormir del tirón. El baño y los cuidados (pomadas y demás) antes de acostarlo alivian las molestias.

"me da miedo la noche..."

### UNA PESADILLA: CÓMO CALMARLE

La mitad de los niños tienen ahora pesadillas. Para calmarle, acudir junto a él, preguntarle qué le pasa (muchos relatan el sueño), abrazarle y hacerle ver que la situación no es real («ha sido como una película», «ese monstruo es de mentira»). Poco a poco se calmará.

### CON MUCHO TACTO

El cambio de cama o de habitación no debe coincidir con el nacimiento de un hermano, ya que puede aumentar el sentimiento de ser desplazado. Lo mejor es hacerlo antes o esperar a unos meses después.

### A LA CAMA GRANDE

Cuando empieza a bajarse de la cuna es el momento de pasarle a la cama. Lo mejor es hacerlo de un día para otro y visitarle todas las noches, remarcando lo orgullosos que estamos de que duerma «como un mayor».

### POCIÓN «MÁGICA»

Para usar a favor la misma fantasía que desencadena sus miedos y hacer que trabaje en sentido positivo, rociar con un pulverizador de agua debajo de la cama a modo de «poción para que vengan las hadas buenas». Todos los trucos son válidos.

### CAUSAS DE LOS DESPERTARES

La salida de los molares, el miedo a la oscuridad, el cansancio, las pesadillas y los terrores nocturnos son los principales motivos por los que la mayoría de los niños se despiertan ahora a mitad de la noche. Hay que evitar las actividades estimulantes (bailes, carreras, juegos intensos) en las horas previas a que se vaya a dormir, ya que pueden desvelarle. Cuanto más relajado esté, mejor dormirá y más tranquila será la noche.

# El menú más adecuado...

La relación que se establece con la comida ha de sentar las bases en los primeros años de vida. Probar gran variedad de alimentos es la clave para que los niños vayan perfilando sus gustos personales. Y como la relación entre la comida y la salud es innegable, es responsabilidad de los padres ofrecer a su hijo los alimentos de mejor calidad para que crezca sano y feliz.

## Alimentos y enfermedades

El **déficit de vitamina D**, junto al del calcio, se asocia al retraso del crecimiento. Los pescados azules, la yema de huevo y el hígado la contienen, pero es la exposición al sol de donde procede el 90% de su aporte, de ahí la necesidad de que el niño juegue al aire libre, tanto en verano como en invierno (incluso más en esta estación).

Está demostrado que la **dieta rica en fruta, verdura y pescado se asocia con una menor prevalencia de asma en niños**, mientras varios estudios relacionan un consumo elevado de alimentos como las carnes grasas con un mayor riesgo de esta enfermedad.

Por otra parte, tenemos el caso de la **celiaquía**, que no siempre ofrece síntomas evidentes, pero hay signos que pueden indicar que el pequeño es intolerante: pérdida de peso y apetito, diarrea crónica, distensión abdominal, alteraciones del carácter y retraso del crecimiento.

Por último, el consumo de **los frutos secos se aconseja evitarlo hasta los 3-4 años** (algunos incluso más), según los pediatras, ya que aún no mastican bien y es posible que algunos trozos pasen accidentalmente a bronquios o pulmones. El 60-80% de los atragantamientos están producidos por frutos secos. Además, constituyen uno de los alimentos más alérgenos que existen.

## Comidas caseras

Las **hamburguesas caseras** son una forma atractiva de conseguir que coma carne. Es preferible comprar la carne picada y elaborarlas en casa, para así reducir el contenido en grasa y aditivos que pueden tener las que se adquieren hechas.

Una buena «**chuchería casera**» sería un polo tricolor, que es una buena forma de darle fruta: rellenar con zumo de fresa un tercio de un molde de polos y meterlo en el congelador. Sacarlo y hacer lo mismo con zumo de naranja primero y de kiwi después.

## Cosas sanas

Debe ingerir alrededor de **500 ml de leche al día**, y una buena forma de asegurar este aporte es tomar un yogur (contiene unos 125 ml de leche), un alimento que también beneficia a su flora intestinal.

Hay niños que siempre piden **tomar algo entre horas**, aunque deben hacer cinco comidas al día. En estos casos, el mejor tentempié es siempre una fruta, una barrita de cereal o una galleta baja en azúcar.

# Canalizar energía...

### PRIMERAS BICICLETAS

Las bicicletas sin pedales adaptadas a esta edad permiten que los niños adquieran el equilibrio de forma natural y progresiva, le enseñan a mantenerlo y potencian su habilidad motora.

### JUEGO DESTRUCTOR

Le gusta «desentrañar» qué se encuentra en el interior de los objetos, de ahí su afición a arrugar el papel o desarmar todo lo desarmable. Los juguetes que implican unir piezas para formar estructuras son ahora muy útiles porque favorecen su agilidad mental.

### MEJOR AL AIRE LIBRE

Los expertos insisten en que el tiempo que el niño pase delante de la televisión debe ser mínimo y en la necesidad de que juegue al aire libre. Lo ideal es que haga algún tipo de actividad física al menos durante una hora al día, repartida en dos o más sesiones e incluyendo actividades vigorosas (correr, trepar, saltar) que fortalecen sus huesos y músculos.

## "soy el mejor cocinero..."

### LAS MANOS EN LA MASA

La masa de galletas es un buen entretenimiento para potenciar su psicomotricidad y favorecer su creatividad. La textura viscosa es más agradable que el barro o la plastilina, le encanta y le permite crear «obras» tangibles... y, por supuesto, comestibles.

### VUELTAS Y MÁS VUELTAS

Le encanta dar vueltas sobre sí mismo para pararse en seco después (y caerse la mayoría de las veces). Es una actividad a fomentar, siempre en un lugar seguro, ya que le permite adquirir control sobre su equilibrio.

### GRANDE, PEQUEÑO; ARRIBA, ABAJO

Es el momento de aprender los opuestos, así que todo lo que pasa por sus manos o ve a su alrededor tiene ahora una denominación que hay que ayudarle a practicar: «un perro grande», «un gato pequeño»; «trae un muñeco blando y otro duro»...

# Cuidados y actividades para el bebé

| Etapa | Momento clave | Se trabaja | Pautas |
|---|---|---|---|
| Con 0 meses | 1 Lactancia materna: la mejor opción | Comida | Pautar las tomas<br>La postura adecuada |
| | 2 Primeros cuidados | Salud | El cambio de pañal<br>Kit básico diario<br>La costra láctea<br>El cordón |
| Con 1 mes | 3 El llanto | Salud | Causas más frecuentes<br>Cómo interpretarlo |
| | 4 Reforzar la barrera cutánea | Salud | Un alivio eficaz<br>Labios sin grietas<br>Dermatitis del pañal |
| Con 2 meses | 5 Patrones de sueño | Sueño | Un ambiente propicio<br>Para que duerma mejor<br>Prevenir el SMSL |
| | 6 La hora del paseo | Psicomotricidad | Frío y calor<br>Relajación<br>Coche o silla<br>Pasear y aprender al mismo tiempo |
| Con 3 meses | 7 Las vacunas | Salud | Las más importantes<br>Reacción pospinchazo<br>Protegerle frente al rotavirus |
| | 8 Diversión a medida | Psicomotricidad | Posición central<br>Seguir con la mirada<br>Sonajero, una buena idea |
| Con 4 meses | 9 Nuevos alimentos | Comida | Poco a poco<br>Cambio de menú<br>Primeros cereales |
| | 10 Su pequeño mundo | Psicomotricidad<br>Salud | Benficios de la avena en la piel<br>Teclas y sonidos<br>Masajes que calman |

# Cuidados y actividades para el bebé

| Etapa | Momento clave | Se trabaja | Pautas |
|---|---|---|---|
| Con 5 meses | 11 La alimentación con biberón | Comida | La mejor tetina<br>Completas y nutritivas<br>Lactancia mixta |
| | 12 Gimnasia y diversión | Psicomotricidad | Efecto sonoro<br>Estiramientos<br>Kit de masaje<br>Mucho más que un paseo |
| Con 6 meses | 13 El momento de la dentición | Salud | Todo a la boca<br>Aliviar las molestias<br>Kit para los dientes |
| | 14 Más estímulos a su alrededor | Psicomotricidad | Supervisando su desarrollo<br>El poder de la repetición<br>El escondite en todas sus versiones |
| Con 7 meses | 15 Los alimentos de su menú | Comida | Purés más completos<br>Respetar los tiempos<br>El papel de las proteínas |
| | 16 Nuevas habilidades, nuevos miedos | Psicomotricidad | Objetivo: beber del vaso<br>El «laleo»<br>Relación con los extraños |
| Con 8 meses | 17 El gateo | Psicomotricidad | Preparación para ponerse de pie y caminar<br>Animarle a gatear |
| | 18 Interpretar sus gustos | Psicomotricidad | Corralito y otros espacios<br>Llanto e inseguridad<br>Atención a sus gestos |
| Con 9 meses | 19 Alergias e intolerancias | Comida<br>Salud | Evitar estornudos<br>Distintos síntomas<br>Las más frecuentes |
| | 20 Diversión y aprendizaje | Psicomotricidad | Juguetes idóneos<br>Lo que sabe hacer<br>Sonidos y más sonidos<br>Cuidado, peligro |

# Cuidados y actividades para el bebé

| Etapa | Momento clave | Se trabaja | Pautas |
|---|---|---|---|
| Con 10 meses | 21 Entorno a su medida | Psicomotricidad | Atención, enchufes<br>Peligros ocultos |
| | 22 Reforzar su autonomía | Psicomotricidad | Para ser autosuficiente<br>Papel protagonista<br>Lecciones al vestirse<br>Él solito |
| Con 11 meses | 23 Primeras normas | Psicomotricidad | Paciencia<br>El poder de la narración<br>Tú puedes |
| | 24 Cuentos y canciones | Psicomotricidad | Siempre jugando<br>Todos los días<br>Nanas, un valor seguro |
| Con 12 meses | 25 Leche de fórmula adaptada a su edad | Comida | La de vaca puede esperar<br>Beneficios a medida<br>Fácil de incorporar |
| | 26 Primeros zapatos | Psicomotricidad | Cómo acertar en la elección<br>Confort interior<br>Su número de pie |
| Con 13 meses | 27 Perder el miedo al agua | Psicomotricidad | Chapoteos con beneficios<br>Juguetes que flotan<br>Ensayando en la bañera |
| | 28 Actividades al aire libre | Psicomotricidad | Piel protegida<br>El balón, un clásico que no falla<br>Esconder tesoros |
| Con 14 meses | 29 Protección solar | Salud | Crema infantil<br>Aumentar el SPF<br>Aplicar y reaplicar |
| | 30 En la bañera | Salud | Esponja natural<br>Masaje capilar<br>Bañera: higiene y diversión<br>El cabello |

# CUIDADOS y ACTIVIDADES para el BEBÉ

| ETAPA | MOMENTO CLAVE | SE TRABAJA | PAUTAS |
|---|---|---|---|
| CON 15 MESES | 31 Tos, congestión y otros malestares | Salud | Reposo y mimos<br>La hidratación, muy importante<br>Identificar los síntomas |
| | 32 Juegos y desarrollo integral | Psicomotricidad | En el parque<br>Con agua y arena<br>Destrezas con ritmo |
| CON 16 MESES | 33 Frente a los miedos, seguridad | Psicomotricidad<br>Sueño | Príncipes y princesas<br>Un rato todos los días<br>Los beneficios del escondite |
| | 34 Habilidades motoras finas | Psicomotricidad | Brillos y sonidos<br>Cubos y pelotas de colores<br>Pintura de dedos |
| CON 17 MESES | 35 Alimentación: sabrosa y variada | Comida | Educar el gusto<br>El postre, un plato más<br>Menús más atractivos |
| | 36 El pulgar y el chupete | Salud | La opción del chupete<br>Sin presiones<br>Efecto calmante<br>Trucos para dejarlo |

| ETAPA | CUIDADOS CLAVE | SE TRABAJA | CONSEJOS PRÁCTICOS |
|---|---|---|---|
| CON 18 MESES | Revisión médica<br>Expresión oral<br>Derroche de afecto | Comida<br>Salud | Macedonia de colores • ¿Dónde está? • Traducción simultánea •A salvo de lámparas • Estiramiento continuo • Contar ovejitas • Torres más altas |
| CON 19 MESES | Pelo y otras manías<br>Dotes de detective<br>El sentido del humor | Salud<br>Comida<br>Psicomotricidad | Higiene: en su justa medida • Practicando con la cuchara • Primeros auxilios • Al rico pan • Jugar y recoger • Pequeño teatro • Vitaminas esenciales |

# CUIDADOS y ACTIVIDADES para el BEBÉ

| ETAPA | CUIDADOS CLAVE | SE TRABAJA | CONSEJOS PRÁCTICOS |
|---|---|---|---|
| CON 20 MESES | Saber esperar<br>«Yo solito»<br>Pequeñas rebeldías | Salud<br>Comida<br>Psicomotricidad<br>Sueño | Evitar contagios • Acelgas y espinacas • Biberón: solo para beber • Gafas de sol • Descanso ligero • Descalzo por el césped • Refugio secreto |
| CON 21 MESES | Lidiar con las pesadillas<br>Iniciación a los números<br>Miedos típicos | Psicomotricidad<br>Sueño | Salsas con sorpresa • El bañador adecuado • Paseos con lección • Sorbetes • Sucio, limpio • El «tercer grado» • Mimos, que no falten |
| CON 22 MESES | Fase antisocial<br>Suplementos, siempre de la huerta<br>Arrebatos | Salud<br>Comida<br>Psicomotricidad<br>Sueño | Inmersiones sin sustos • Aire acondicionado • Practicando los andares • Seguridad en el baño • Afición a la fruta • Sueño sano |
| CON 23 MESES | Adiós al chupete<br>Respetar sus ritmos<br>El momento del muñeco | Salud<br>Psicomotricidad | Vestidos bajo el sol • Plato combinado • Mundo animal • De dos en dos • Pequeño jardinero • Números por todas partes • Un chupete con mal sabor |
| A PARTIR DE 24 MESES | Cuidar su salud | Salud | Cuidados básicos • El cabello • Dentición completa |
| | Noches con altibajos | Sueño | Amigo de la oscuridad • Dermatitis, la razón oculta • Con mucho tacto • A la cama grande • Poción «mágica» • Una pesadilla: cómo calmarle • Causas de los despertares |
| | El menú más adecuado | Comida | Alimentos y enfermedades • Comidas caseras • Cosas sanas |
| | Canalizar energía | Psicomotricidad | Primeras bicicletas • Juego destructor • Mejor al aire libre • Las manos en la masa • Vueltas y más vueltas • Grande, pequeño; arriba, abajo |